S0-BFB-529

5̶2̶/65          8/10          Bien.

## ① Pronoms personnels et toniques.

*Complétez le dialogue.*

**1** ▪ Salut. ......Tu........ t'appelles comment ?

**2** ▪ Éric. Et ....Toi....... ?

**3** ▪ ...Moi........., .....Je...... m'appelle Sophie.

**4** ▪ .......Tu...... es actrice ?

**5** ▪ Non, ......Je...... suis étudiante.

**6** ▪ Et ......lui.... ?

**7** ▪ Lui, ......il...... est professeur.

## ② *Être* et *s'appeler.*

*Complétez le dialogue.*

**1** ▪ Bonjour. Vous vous .........appelez........... comment ?

**2** ▪ Joseph Pinson. Et vous ?

**3** ▪ Moi, je ......m'appelle......... Valérie Moreau.

**4** ▪ Vous .........êtes............. journaliste ?

**5** ▪ Oui. Et vous, vous .........êtes.......... acteur ?

**6** ▪ Oui, je .......suis.............. acteur.

**7** ▪ Et elle ? Elle .........est............. actrice ?

**8** ▪ Oui, elle ........est........... actrice.

## ③ Mettez le dialogue en ordre.

(2) **a** ▪ Moi, c'est Alberto.

(6) **b** ▪ C'est Paolo, un ami.

(5) **c** ▪ Et lui, c'est qui ?

(4) **d** ▪ Non, je suis italien.

(3) **e** ▪ Tu es espagnol ?

(1) **f** ▪ Salut, je m'appelle Quentin. Et toi ?

## ④ *Un* ou *une* ?

*Cochez le bon nom.*

**1** ▪ C'est un ⦿ Français. ◯ Française.

**2** ▪ C'est une ◯ étudiant. ⦿ étudiante.

**3** ▪ C'est un ◯ actrice. ⦿ acteur.

**4** ▪ C'est une ◯ ami. ⦿ amie.

**5** ▪ C'est un ⦿ Italien. ◯ Italienne.

## ⑤ C'est qui ?

*Complétez la légende des photos.*

**1**     **2**     **3**

**1** ▪ ....*C'est*.... Claudia Schiffer. Elle ....*est*.... allemande. ....*C'est*.... un mannequin célèbre.

**2** ▪ Elle ....*est*.... Catherine Deneuve. Elle est ....*Française*.... C'est une ....*actrice*....

**3** ▪ ....*C'est*.... Daniel Auteuil. ....*C'est*.... français. ....*C'est*.... un acteur.

## ⑥ Homme ou femme ?

*Cochez le bon adjectif.*

| | | |
|---|---|---|
| **1** ▪ Il est | ○ espagnole. | ◉ espagnol. |
| **2** ▪ Elle est | ◉ grecque. | ○ grec. |
| **3** ▪ Il est | ◉ français. | ○ française. |
| **4** ▪ Elle est | ◉ canadienne. | ○ canadien. |
| **5** ▪ Il est | ○ allemande. | ◉ allemand. |

## ⑦ Terminaisons du féminin.

*Écrivez les terminaisons.*

**1** ▪ Émilie est canadien*ne*. C'est une journaliste.

**2** ▪ Elle s'appelle Justine. Elle est français*e*.

**3** ▪ Claudia est italien*ne*. C'est une act*rice*.

**4** ▪ Maria est brésilien*ne*. C'est une étudiant*e*.

**5** ▪ Elle s'appelle Pilar. Elle est espagnol*e*.

## ⑧ Trouvez les questions.

**1** ▪ – *Tu t'apelles comment* ? – Maria.

**2** ▪ – *Tu es Française* ? – Non, je suis italienne.

**3** ▪ – *Tu es étudiante* ? – Oui, je suis étudiante.

**4** ▪ – *Lui, c'est qui* ? – C'est un ami.

**5** ▪ – *il est Français* ? – Non, il est grec.

**6** ▪ – *comment il s'apelle* ? – Alexakis.

## ⑨ Trouvez les nombres.

*Écrivez en chiffres huit nombres de la grille.*

```
S  T  S  O  I  X  A  N  T  E  E  T  O  N  Z  E  I  L  A
O  M  S  Q  U  A  T  R  E  V  I  N  G  T  U  N  Y  N  U
N  U  S  O  I  X  A  N  T  E  S  E  I  Z  E  D  E  U  X
Z  C  I  N  Q  U  A  N  T  E  E  T  U  N  C  I  N  Q  E
E  Z  E  T  R  E  N  T  E  Q  U  A  T  R  E  H  U  I  T
D  O  U  Z  E  A  M  I  D  I  X  N  E  U  F  Z  E  R  O
Q  U  A  T  R  E  V  I  N  G  T  D  I  X  N  E  U  F  U
C  E  N  T  S  O  I  X  A  N  T  E  D  I  X  S  E  P  T
```

.............................     .............................

.............................     .............................

.............................     .............................

.............................     .............................

## ⑩ Comptez.

*Écrivez les nombres en lettres.*

*Exemple :* 51 + 20 = 71.

⇨ **Cinquante et un plus vingt égale soixante et onze.**

**a** ▪ 7 + 8 = 15.

............ Sept plus huit égale quinze ✓ ............

**b** ▪ 11 + 10 = 21.

............ onze plus dix égale vingt et un ✓ ............

**c** ▪ 12 + 11 = 23.

............ douze plus onze égale vingt-trois ✓ ............

**d** ▪ 40 + 41 = 81.

*0.15* ............ quarante plus quarante et un égale quatre-vingt un ............

**e** ▪ 51 + 23 = 74.

*0.25* ............ cinquante et un plus vingt-trois égale soixante-~~dix-quatre~~ ............

soixante - quatorze

## ⑪ Orthographe : *es, est* ou *et* ?

*Complétez les phrases.*

**1** ▪ Voilà Victoria Abril ...... ou et ...... Gérard Depardieu.

**2** ▪ Émilie Larue ...... est ...... journaliste. ✓

**3** ▪ Tu ...... es ...... étudiante ? ✓

**4** ▪ Elle ...... est ...... actrice. ✓

**5** ▪ Elle est étudiante ...... ou et ...... actrice.

> Poser des questions en classe :
> *Comment ça se dit ? Comment ça s'appelle ? Comment ça s'écrit ? Comment ça se prononce ?*

*Corrigé au tableau*

## Vocabulaire

### ① Chassez l'intrus.

*Exemple :* Le nom – le prénom – l'âge – ~~la vidéo~~.

   **1** ▪ Un dentiste – un médecin – ~~un chien~~ – une secrétaire.

   **2** ▪ Un mannequin – un agent de voyages – ~~un locataire~~ – un étudiant.

   **3** ▪ Moi – toi – ~~je~~ – lui.

### ② Quelle est leur profession ?

*Complétez les grilles.*

   **1** ▪ Ingrid est …

   **2** ▪ Catherine Deneuve est …

   **3** ▪ Pierre-Henri de Latour est …

   **4** ▪ Il travaille dans un journal. Il est …

   **5** ▪ Françoise Dupuis est …

   **6** ▪ Henri Dumas est …

   **7** ▪ Céline Dion est …

Grille :
- 1 horizontal : MANNEQUIN
- 6 vertical : MEDICIN
- 2 horizontal : ACTRICE
- 5 vertical : DENTISTE
- 3 horizontal : ETUDIANT
- 7 vertical : CHANTEUSE
- 4 horizontal : JOURNALISTE

### ③ Quelle est leur identité ?

*Lisez les dialogues et écrivez les informations demandées.*

| | Nom | Prénom | Nationalité | Adresse |
|---|---|---|---|---|
| **1** | Garnier | Alain | Française | 25 rue Blanche |
| **2** | Rodriguez | | Espagnol | Rue Docteur-Roux, au 31, Bordeaux |
| **3** | Lamaison | Fernand | Canadien | Montréal |

**Dialogue 1**

– Bonjour. Vous êtes monsieur… ?

– Garnier. Mon nom est Alain Garnier.

– Vous habitez à Paris ?

– Oui, au 25 rue Blanche.

– Quelle est votre nationalité ?

– Française.

**Dialogue 2**

– M. Rodriguez est là ?

– Oui, c'est moi.

– Vous êtes français ?

– Non, espagnol.

– Mais vous habitez à Bordeaux.

– Oui, rue du Docteur-Roux, au 31.

**Dialogue 3**

– Vous êtes bien M. Fernand Lamaison ?

– Oui.

– Vous êtes canadien ?

– C'est ça. J'habite à Montréal.

– Et votre femme est française ?

– Oui.

# Grammaire

*Vu*

## ④ Homme ou femme ?

*Écrivez **H** si on parle d'un homme, **F** si on parle d'une femme.*

(H) **1** ▪ Il est agent de voyages ?

(H) **2** ▪ C'est un garçon heureux.

(F) **3** ▪ Dominique est française ?

(H) **4** ▪ Je vous présente le nouveau locataire.

(F) **5** ▪ Ton amie Valérie va bien ?

## ⑤ Le verbe *être*.

*Complétez avec le verbe **être**.*

**1** ▪ Tu ……*es*…… française ?

**2** ▪ Vous ……*êtes*…… italien ?

**3** ▪ Il ……*est*…… dans sa chambre.

**4** ▪ Je ……*suis*…… espagnol.

**5** ▪ Vous ……*êtes*…… seul ?

**6** ▪ Tu ……*es*…… dans le salon ?

**7** ▪ Elle ……*est*…… italienne.

## ⑥ Les pronoms toniques.

*Complétez avec des pronoms toniques.*

**1** ▪ – ……*Moi*…… je suis secrétaire. Et ……*Toi*……… ? – ……*Moi*…… aussi.

**2** ▪ – J'habite à Paris. Et ……*Toi*…… ? – ……*moi*……, j'habite à Lyon.

**3** ▪ – Et ……*lui*……, il s'appelle comment ? – ……*Lui*……, c'est Alain.

**4** ▪ – ……*Elle*……, elle est étudiante. Et ……*toi*……… ? – ……*Moi*……, je suis dentiste.

**5** ▪ – Je m'appelle Legrand. Et ……*vous*……… ? – ……*Moi*……, je m'appelle Berthier.

## ⑦ Mettez ensemble questions et réponses.

*Au secrétariat de l'école de langues.*

**1** ▪ Bonjour, Monsieur.

**2** ▪ Vous vous appelez comment ?

**3** ▪ Quelle est votre adresse ?

**4** ▪ Non. Excusez-moi. Votre adresse
à Paris, pas à Barcelone.

**5** ▪ Vous avez un numéro de téléphone ?

( 2 ) **a** ▪ Edmundo Rojas.

( 3 ) **b** ▪ À Barcelone ?

( 5 ) **c** ▪ Oui, c'est le 01 44 37 18 76.

( 1 ) **d** ▪ Bonjour.

( 4 ) **e** ▪ Ah, bon. J'habite chez un ami, au Quartier
latin, 18 rue Hautefeuille.

⑧ **C'est ou il/elle est ?**

*Complétez les phrases.*

1 ▪ ........*c'est*........ elle.

2 ▪ ........*Elle est*........ grande.

3 ▪ ........*c'est*........ une fille sympathique.

4 ▪ ........*Il est*........ dans sa chambre.

5 ▪ Lui, ........*Il est*........ agent de voyages.

6 ▪ ........*Elle est*........ sympathique.

7 ▪ Elle, ........*c'est*........ une femme célèbre.

8 ▪ Lui, ........*c'est*........ un garçon sérieux.

⑨ **C'est ou il/elle est ?**

*Complétez le dialogue.*

1 ▪ La jeune femme, là-bas, ........*elle est*........ italienne ?

2 ▪ Oui, ........*C'est*........ une Italienne.

3 ▪ ........*C'est*........ une étudiante ?

4 ▪ Non, ........*Ell est*........ secrétaire.

5 ▪ Et le jeune homme avec elle, ........*c'est*........ un ami ?

6 ▪ Oui. ........*elle est*........ sympathique.

7 ▪ Et ........*c'est*........ un beau couple !

⑩ **Prépositions.**

*Regardez les dessins et faites des phrases avec les prépositions : **avec – chez – dans – à.***

1

2

3

4

1 ▪ ........*Il est chez lui.*........

2 ▪ ........*Elle est avec un amie*........

3 ▪ ........*Elle est à Paris*........

4 ▪ ........*Il est chez le dentiste*........

**⑪ Trouvez la question.**

*Dites **tu** à Coralie.*

**1** ▪ – ...........Quel est ton nom........................... ? – Lemarchand.

**2** ▪ – ...........Quel est ton prénom....................... ? – Coralie.

**3** ▪ – .........Quelle est ton adresse...................... ? – 18, rue du Cardinal Mercier.

**4** ▪ – ........Quel est ton numéro de téléphone... ? – C'est le 01 45 48 70 14.

**5** ▪ – Et lui, .........qui est-ce.......................... ? – C'est un ami.

## Écriture

**⑫ Comment ça s'écrit ?**

*Complétez les phrases. Choisissez **a** ou **b**.*

**1** ▪ Tu habites ..........où.......... ?     **a** ▪ ou     **b** ▪ où

**2** ▪ J'habite ..........à.......... Paris.    **a** ▪ à     **b** ▪ a

**3** ▪ Elle est .....étudiante..... .    **a** ▪ étudiante     **b** ▪ étudiant

**4** ▪ Il ..........est.......... pilote.    **a** ▪ es     **b** ▪ est

**5** ▪ Elle est .....italienne..... .    **a** ▪ italien     **b** ▪ italienne

**⑬ Quel désordre !**

*Aidez l'ordinateur à mettre le dialogue dans l'ordre. Puis, écrivez le dialogue.*

(1) **a** ▪ Bonjour, moi, je m'appelle Aurélie. Et toi ?

(6) **b** ▪ Non, moi, je travaille, je suis journaliste.

(4) **c** ▪ Je suis français.

(3) **d** ▪ Quelle est ta nationalité ?

(2) **e** ▪ Moi, je m'appelle Benjamin. Bonjour, Aurélie.

(5) **f** ▪ Moi, je suis étudiante. Toi aussi ?

(7) **g** ▪ Au revoir, Benjamin. À bientôt sur Internet.

(8) **h** ▪ Au revoir, Aurélie.

......... – Bonjour, moi, je m'appelle Aurélie. Et toi ?

......... – Moi, je m'appelle Benjamin. Bonjour, Aurélie.

......... – Quelle est ta nationalité ?

......... – Je suis Français.

......... – Moi, je suis étudiante. Toi aussi ?

......... – Non, moi, je travaille, je suis journaliste.

......... – Au revoir, Benjamin. À bientôt sur Internet.

......... – Au revoir, Aurélie.

*Corrigé au tableau*

## Vocabulaire

### ① Quel est le nom de l'objet ?

*Associez le nom et l'objet.*

**1**     **2**     **3**     **4**     **5**

(4) Un livre.

(5) Une chaise.

(1) Une calculatrice.

(2) Un ordinateur.

(3) Une cassette vidéo.

### ② Associez les mots.

**1** ▪ Manger   ⟶   **a** ▪ faim. ( 4 )

**2** ▪ Chercher    **b** ▪ le samedi.

**3** ▪ Travailler    **c** ▪ un appartement.

**4** ▪ Avoir    **d** ▪ son père.

**5** ▪ Présenter    **e** ▪ au restaurant. ( 1 )

**6** ▪ Visiter    **f** ▪ du travail.

### ③ Quel est le genre des noms ?

*Classez les noms suivants dans le tableau. Mettez un article indéfini devant les noms.*

Cuisinier – agence – stagiaire – locataire – secrétaire – garçon – fille – dentiste – femme – profession – adresse – prénom – directeur – actrice – chanteur.

*incomplet*

| Masculin | Féminin | Masculin ou féminin |
|---|---|---|
| un cuisinier | une agence | un ou une stagiaire |
| un garçon | une adresse | un ou une locataire |
| un directeur | une fille | dentiste |
| un prénom | une femme | stagiaire |
| | une actrice | secrétaire |
| | une profession | |

> Apprenez les mots nouveaux par cœur.
> Lisez les tableaux de grammaire avant de faire les exercices.

**④ Article défini ou indéfini ?**

*Complétez les dialogues avec des articles.*

1 ▪ Pascal, c'est .....(un)..... ami de Benoît et de Julie ?

2 ▪ Maintenant, oui. C'est .......le....... nouveau locataire.

3 ▪ Il a .......un....... chambre ?

4 ▪ Oui. C'est .......une....... grande chambre.

5 ▪ Et .......le....... bureau, il est à lui ?

6 ▪ Oui. Il a .......un....... bureau, .......une....... chaise et .......un....... lit.

**⑤ Quel est le numéro de la photo ?**

*Associez les photos et les légendes.*

1    2    3    4

③ a ▪ C'est un café célèbre. C'est le café de Flore à Saint-Germain-des-Prés.

④ b ▪ C'est une place de Paris, la place de la Concorde.

① c ▪ C'est un beau musée. C'est le musée du Louvre.

② d ▪ C'est une grande église. C'est le Sacré-Cœur de Montmartre.

**⑥ Qu'est-ce qu'il/elle a ?**

*Répondez comme dans l'exemple.*

*Exemple : – Moi, j'ai un stylo, et lui ?*

➪ **– Lui aussi, il a un stylo.**

1 ▪ – Lui, il a un livre, et elle ? – ........Elle aussi, elle a un livre........

2 ▪ – Vous, vous avez un appartement, et lui ? – ........Lui aussi, il a un appartement........

3 ▪ – Toi, tu as une grande cuisine, et elle ? – ........Elle aussi, elle a une grande cuisine........

4 ▪ – Elle, elle a un nouveau bureau. Et toi ? – ........Moi aussi, je'ai un nouveau........

5 ▪ – Moi, j'ai faim. Et toi ? – ........Moi aussi, j'ai faim........

**⑦ Être ou avoir ?**

*Complétez le dialogue avec **a**, **est** ou **c'est**.*

1 ▪ ......C'est...... Marisa Ricci ?

2 ▪ Oui, ......c'est...... elle.

3 ▪ Elle ......est...... française ?

4 ▪ Non, elle ......est...... italienne.

5 ▪ Elle ......a...... quel âge ?

6 ▪ Elle ......est...... 25 ans.

7 ▪ Elle ......a...... un appartement à Paris ?

8 ▪ Oui. Il ................. dans le 18ᵉ arrondissement.

## ⑧ Expressions avec *avoir*.

*Écrivez une phrase pour chaque dessin.*

**1 ▪** ...Il a mal à la tête...    **2 ▪** ...Il a chaud...

**3 ▪** ...Elle a faim...    **4 ▪** ...Il a froid...

## ⑨ Adjectifs possessifs.

*Complétez avec des adjectifs possessifs.*

**1 ▪** Voici ......*ma*...... femme et ......*ma*...... fille.

**2 ▪** Je vous présente ......*mon*...... père et ......*ma*...... mère.

**3 ▪** – C'est ......*ma*...... chambre ? – Oui, c'est ......*ton*...... chambre.

**4 ▪** – C'est ......*ton*...... amie ? – Non, c'est ......*ma*...... cuisinière.

**5 ▪** – Tu as ......*ton*...... adresse ? – Non, mais j'ai ......*son*...... numéro de téléphone.

## ⑩ Articles ou adjectifs possessifs ?

*Complétez les phrases.*

**1 ▪** – C'est ......*l'*...... agence de Nicolas ? – Oui, c'est ......*son*...... agence.

**2 ▪** – C'est ......*ton*...... chien ? – Non, c'est ......*le*...... chien de ......*mon*...... amie.

**3 ▪** – Tu as ......*ta*...... carte d'identité ? – Non, mais j'ai ......*mon*...... passeport.

**4 ▪** – Où est ......*l'*...... appartement de Benoît ? – Il est au 25 de ......*la*...... rue Blanche.

**5 ▪** – ......*Son*...... numéro de téléphone, c'est bien ......*le*...... 01 45 38 26 32 ?
*Ton / votre*

## ⑪ Trouvez les questions.

**1 ▪** – ......Comment tu t'appelle...... ? – Je m'appelle Denise.

**2 ▪** – ......Quel âge as-tu...... ? – J'ai 30 ans.

**3 ▪** – ......Quelle est ta profession...... ? – Je suis musicienne.

**4 ▪** – ......Tu habites où...... ? – À Paris.

**5 ▪** – ......Tu as un appartement...... ? – Oui, j'ai un appartement.

*Incomplet*

## ⑫ Prononciation ouverte ou fermée ?

*Trouvez des mots prononcés avec :*

**1** ▪ un é fermé [e] : étudiant, profession, ...........bébé....................................

**2** ▪ un è ouvert [ɛ] : stagiaire, est, ...........mère..................................................

## ⑬ Écrivez l'adresse.

*Exemple :* Monsieur et Madame Albert Prévost
habitent à Fontainebleau,        ⇨
au 15 de la rue des Fleurs.
Le code postal est le 77300.

> M. et Mme Albert Prévost
> 15, rue des Fleurs
> 77300 Fontainebleau

**1** ▪ L'appartement de Monsieur Joseph Dumayet
est à Paris, avenue des Gobelins, au numéro 12.
Le code postal est le 75013.

**2** ▪ Madame Aline Puivert habite à Nice,
au 32 de l'avenue Dubouchage.
Le code postal est le 06000.

**1**

**2**

## ⑭ Mettez les photos dans l'ordre.

*Mettez les cinq photos dans l'ordre de l'histoire. Puis, écrivez une phrase par photo.*

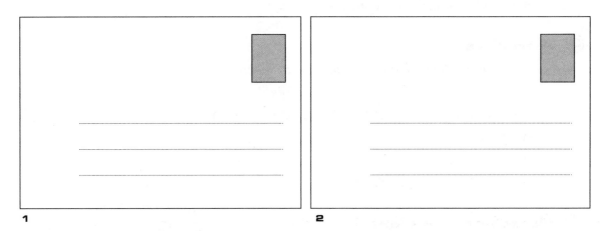

a          b          c          d          e

ⓐ **1** ▪ .......Je m'appelle.......................................................................

ⓓ **2** ▪ .......Je suis stagiaire.................................................................

ⓔ **3** ▪ .......Benoît Royer voici Pascal...................................................

ⓑ **4** ▪ ..........................................................................................

ⓒ **5** ▪ .......C'est la chambre de Pascal.................................................

# Une cliente difficile ............

*Corrigé au tableau*

## Vocabulaire

### ① Associez les mots des deux colonnes.

| | | | | |
|---|---|---|---|---|
| **1** ▪ Souhaiter | ▪**a** ▪ en retard. | (2) |
| **2** ▪ Être | **b** ▪ d'aide. | (4) |
| **3** ▪ Payer | **c** ▪ la bienvenue. | (1) |
| **4** ▪ Avoir besoin | **d** ▪ à la banque. | (5) |
| **5** ▪ Passer | **e** ▪ par chèque. | (3) |

### ② Chassez l'intrus.

**1** ▪ Carte de crédit – chèque – machine ✗ – billet.

**2** ▪ Tutoyer – emmener – plaisanter – renseignement. ✗

**3** ▪ Aujourd'hui – ce soir – enfin ✗ – ce matin.

**4** ▪ Employé – stagiaire – bureau ✗ – secrétaire.

### ③ Adverbes.

*ya   allé   siempre   aqui*

*Complétez avec :* **déjà – là-bas – toujours – ici – sûrement.**

**1** ▪ Il est ..........déjà.............. 11 heures !

**2** ▪ Vous habitez .........toujours.......... rue Blanche ?

**3** ▪ Venez .......ici................. .

**4** ▪ L'agence est ........là- bas........... .

**5** ▪ Il est 10 heures. Benoît est .....sûrement............... à l'agence.

### ④ Qu'est-ce que c'est ?

*1) Quels objets sont sur le dessin ?
Soulignez leur nom.*

Un <u>stylo</u> – une agrafeuse –

un <u>fax</u> – <u>une feuille de papier</u> -

un dossier – <u>une enveloppe</u> –

une <u>disquette</u> – un <u>ordinateur</u>.

*2) Classez les objets du dessin.*

**a** ▪ Noms masculins : ....stylo, fax, ordinateur, dossier..........

**b** ▪ Noms féminins : ....agrafeuse, feuille de papier, enveloppe, disquette....

---

Écoutez la radio en français.
Regardez des films en version originale (VO).

---

**14**

# Grammaire

*Vu*

## ⑤ Conjugaison.

*Complétez les phrases avec les verbes suivants :* **manger – habiter – travailler – parler – passer.**

**1** ▪ Tu ..........*passes*.......... à la banque ?

**2** ▪ Benoît ..........*parle*.......... à l'employée.

**3** ▪ Vous ..........*habites*........ à Paris ?

**4** ▪ Vous ......*manges*............ au restaurant ?

**5** ▪ Tu ............*travailles*....... au bureau ?

## ⑥ Construction de phrases.

*Faites des phrases avec les mots suivants.*

**1** ▪ Payer – carte de crédit – Mme Desport.   *Mme Despost paye par carte de crédit*

**2** ▪ Demander – vous – prix du billet.   *Vous Demandes le prix en avion*

**3** ▪ Préférer – elle – voyager en avion.   *Elle préfére voyager en avion*

**4** ▪ Emmener – Laurent – Benoît – bureau de Nicole.   *Benoît Emmene Laurent dans le bureau...*

**5** ▪ Souhaiter – Laurent – la bienvenue – nous.   *Nous souhaitons la bienvenue à L.*

**6** ▪ Proposer – gâteaux – Nicole – Laurent.   *Nicole propose des gâteaux à Laurent*

## ⑦ *Tu* **ou** *vous* **?**  *incomplet*

*Lisez les dialogues et soulignez les mots qui indiquent le vouvoiement ou le tutoiement.*

**1** ▪ – Salut ! Tu vas bien aujourd'hui ?

  – Oui, et toi ?

  – Moi, ça va bien.

  – Bon, à bientôt.

**2** ▪ – Ton amie est là ?

  – Oui, elle est dans le salon.

  – Viens… Je te présente Valérie.

  – Bonjour.

**3** ▪ – Entrez, je vous prie.

  – Merci.

  – Quel est votre nom ?

  – Alain Laborde.

## ⑧ C'est pour qui ? C'est pour quoi ?

*Associez les éléments des deux colonnes.*

**1** ▪ Le billet d'avion.

**2** ▪ Mme Desport est avec Laurent.

**3** ▪ Le stagiaire est là.

**4** ▪ Le café.

**5** ▪ La plaisanterie de Nicole.

**a** ▪ C'est pour Benoît et son stagiaire.   (4)

**b** ▪ C'est pour aider Benoît.   (3)

**c** ▪ C'est pour Mme Desport.   (1)

**d** ▪ C'est pour souhaiter la bienvenue.   (5)

**e** ▪ C'est pour changer son billet.   (2)

## ⑨ Impératif.

*Qu'est-ce qu'ils disent ? Utilisez l'impératif.*

**1**  ................................
Entre
Entrez

**2**  ................................
Asseyez-vous

**3**  ................................
dépêche-toi

**4**  ................................
Arrêtez

## ⑩ Actes de parole.

*Associez l'impératif et sa fonction.*

**1** ▪ Aide-moi.

**2** ▪ Montrez-moi votre passeport.

**3** ▪ Dis-moi *tu*.

**4** ▪ Excusez-moi.

**5** ▪ Soyez le bienvenu.

**a** ▪ S'excuser.  ( 4 )

**b** ▪ Souhaiter la bienvenue.  ( 5 )

**c** ▪ Demander de l'aide.  ( 1 )

**d** ▪ Demander de tutoyer.  ( 3 )

**e** ▪ Demander une pièce d'identité.  ( 2 )

## ⑪ *Qui est-ce* **ou** *qu'est-ce que c'est* ?

*Complétez les questions et les réponses.*

*Exemples :* – ... ? – C'est le nouveau stagiaire.

⇨ **– Qui est-ce ? C'est le nouveau stagiaire.**

– ... ? – C'est la nouvelle carte bancaire.

⇨ **– Qu'est-ce que c'est ? – C'est la nouvelle carte bancaire.**

**1** ▪ – ......Qui est-ce...... ? – C'est la nouvelle stagiaire.

**2** ▪ – ......Qu'est-ce que c'est...... ? – C'est le bureau de Benoît.

**3** ▪ – ......Qui est-ce...... ? – C'est la collègue de Benoît.

**4** ▪ – ......Qu'est-ce que c'est...... ? – C'est la nouvelle machine.

**5** ▪ – ......Qui est-ce...... ? – C'est l'employée de la banque.

## ⑫ Est-ce que...

*Transformez la phrase comme dans l'exemple.*

*Exemple :* Tu habites à Paris.

⇨ **Tu habites où ? Où est-ce que tu habites ?**

**1** ▪ Vous aidez Pascal.

......Qui aidez vous ? Qui est-ce que vous aidez ?......

**2** ▪ Vous vous appelez Karine.

......Vous vous apelez comment ? Comment est-ce que vous nous a.........

**3** ▪ Il paie par chèque.

......Il paye comment ? Comment est-ce qu'il paie......

**4** ▪ Il regarde la photo du Mont-Saint-Michel.

......Il regarde quoi ? Qu'est-ce qu'il regarde ?......

**5** ▪ Il entre dans la cuisine.

......Il entre où ? Où est-ce qu'il entie ?......

## ⑬ Questions-réponses.

*Posez des questions à Benoît. Utilisez **est-ce que** et inventez les réponses.*

*Exemple :* Vous passez à la banque ?

⇨ **– Est-ce que vous passez à la banque ? – Oui, ce matin.**

**1** ▪ Vous habitez où ?

*Où est-ce que vous habitez ?*

**2** ▪ Vous travaillez toujours à Europe Voyages ?

*Est-ce que vous travaillez toujours à Europe V. ?*

**3** ▪ Comment s'appelle votre stagiaire ?

*Comment est-ce que s'appelle votre stagiaire ?*

**4** ▪ Vous tutoyez vos collègues ?

*Est-ce que vous tutoyez vos collègues*

**5** ▪ Vos clients paient comment ?

*Comment est-ce que vos clients paient ?*


## Écriture

*Incomplet*

## ⑭ Ça s'écrit comment ?

*Complétez les phrases et mettez les accents.*

**1** ▪ Tu ................. quel age ?

**2** ▪ Vous ................. par chèque ?

**3** ▪ Depechez ................. .

**4** ▪ Vous ................. un probleme ?

**5** ▪ Elle ................. deja en retard.


## ⑮ Notez les renseignements sur votre agenda.

**1** ▪ Départ de ......*Nice*......, le ...*28 Septembre*..., à ......*9 H 10*......

**2** ▪ Nom de l'aéroport : ....*Aerogare 2*....

**3** ▪ Arrivée à ....*Paris*...., le ....*28 Sep*...., à ....*10 H 35*....

**4** ▪ Nom de l'aéroport : ....*Orly*....

**5** ▪ Compagnie : ....*Air France*....

**6** ▪ Numéro de vol : ....*AF G 205*....

| 1 AIR FRANCE | VOL AF6205 DATE 28SEPTEMBRE FIN ENREIGISTREMENT 08H55 DEPART 09H10 | |
|---|---|---|
| DE NICE AEROGARE 2 | CLASSE M | TYPE D'AVION |
| A PARIS ORLY | HEURE ARRIVEE 10H35 DATE 28SEP | AIRBUS A320 |

BON VOYAGE **AIR**

## Vocabulaire

### ① Choisissez un adjectif.

*Cochez le bon adjectif.*

| | | | |
|---|---|---|---|
| **1** ▪ C'est un garçon | ○ inséparable. | ○ charmante. | ○ timide. |
| **2** ▪ C'est une collègue | ○ gentil. | ○ sympathique. | ○ nouveau. |
| **3** ▪ Son café est | ○ charmant. | ○ belle. | ○ bon. |
| **4** ▪ Annie est un peu | ○ sympathique. | ○ agaçante. | ○ méchant. |

### ② Mots croisés.

*Remplissez la grille avec les définitions.*

**1** ▪ Pour Benoît, c'est le 5 avril.

**2** ▪ Il remplace Benoît.

**3** ▪ De midi à deux heures.

**4** ▪ Dans un bouquet.

**5** ▪ Des lettres.

**6** ▪ Avec le café.

**7** ▪ Qu'elle est bonne !

### ③ Noms et verbes.

*Trouvez les verbes correspondant aux noms suivants.*

**1** ▪ Achat. → ...............................

**2** ▪ Amour. → ...............................

**3** ▪ Demande. → ...............................

**4** ▪ Entrée. → ...............................

**5** ▪ Mérite. → ...............................

**6** ▪ Offre. → ...............................

**7** ▪ Préférence. → ...............................

**8** ▪ Remerciement. → ...............................

**9** ▪ Souhait. → ...............................

**10** ▪ Vue. → ...............................

**11** ▪ Remplacement. → ...............................

**12** ▪ Plaisanterie. → ...............................

Avec la vidéo :
observez bien les comportements des personnages;
imaginez les répliques des personnages.

## Grammaire

### ④ Pluriel des verbes.

*1) Complétez avec le pluriel de **avoir** et **être**.*

**a** ▪ Vous ................. inséparables.

**b** ▪ Elles ................. jalouses.

**c** ▪ Vous ................. le temps.

**d** ▪ Elles ................. finies, les vacances.

**e** ▪ Nous ................. en retard.

**f** ▪ Ils ................. de belles fleurs.

**g** ▪ Ils ................. très bons, vos gâteaux.

**h** ▪ Nous ................. des ordinateurs.

**i** ▪ Elles ................. bonnes amies.

**j** ▪ Ils ................. une nouvelle stagiaire.

*2) Ils sont plusieurs ! Mettez au pluriel.*

**a** ▪ Il habite à Bordeaux. ....................................................................................

**b** ▪ Tu offres des fleurs. ....................................................................................

**c** ▪ Je travaille à l'agence de voyages. ....................................................................................

**d** ▪ Elle aime les fleurs. ....................................................................................

**e** ▪ Il mange des gâteaux. ....................................................................................

### ⑤ Mettez au pluriel.

C'est une jeune fille sympathique. Elle travaille dans une agence de voyages. Elle plaisante avec la collègue de bureau. Elle tutoie la responsable du service. Elle a toujours une bonne idée : offrir un beau bouquet pour un anniversaire, faire un bon gâteau, faire une plaisanterie gentille. On aime bien une jeune fille aussi aimable et sérieuse.

*Ce sont* ....................................................................................

....................................................................................

....................................................................................

....................................................................................

....................................................................................

....................................................................................

....................................................................................

### ⑥ Genre et place des adjectifs.

*Ajoutez un adjectif : – avant le nom : **bon – nouveau – beau/bel – grand – petit** ;*
*– après le nom : **sérieux – sympathique – difficile**.*

**1** ▪ C'est une ................................. idée.

**2** ▪ C'est un ................................. cadeau.

**3** ▪ C'est une collègue .................................

**4** ▪ C'est un ................................. appartement.

**5** ▪ C'est un ................................. copain.

**6** ▪ C'est un garçon ................................. .

**7** ▪ C'est une ................................. stagiaire.

**8** ▪ C'est un ................................. restaurant.

**9** ▪ C'est une cliente ................................. .

## ⑦ C'est quand ?

*Répondez aux questions.*

**1** ▪ L'anniversaire de Benoît, c'est quand ? ...........................................................

**2** ▪ Quand est-ce qu'on offre des fleurs ? ...........................................................

**3** ▪ Votre anniversaire, c'est quand ? ...........................................................

**4** ▪ Votre cours de français, c'est quand ? ...........................................................

**5** ▪ Les grandes vacances, c'est quand ? ...........................................................

## ⑧ Masculin, féminin.

*Écrivez la phrase au masculin.*
*Exemple :* C'est ma grande amie.
> ⇨ **C'est mon grand ami.**

**1** ▪ C'est une fille gentille. ...........................................................

**2** ▪ C'est une jeune fille sérieuse. ...........................................................

**3** ▪ Elle a une bonne amie. ...........................................................

**4** ▪ Nous avons une nouvelle stagiaire. ...........................................................

**5** ▪ Elle a une belle chienne. ...........................................................

## ⑨ Négation et pronoms toniques au pluriel.

*Répondez comme dans les exemples.*
*Exemples :* – Vous aimez les gâteaux ?
> ⇨ **– Non, nous, nous n'aimons pas les gâteaux.**
> – Ils ont un chien ?
> ⇨ **– Non, eux, ils n'ont pas de chien.**

**1** ▪ – Elles offrent des fleurs ? – ...........................................................

**2** ▪ – Ils mangent des gâteaux le dimanche ? – ...........................................................

**3** ▪ – Ils ont des amis ? – ...........................................................

**4** ▪ – Elles travaillent dans une grande agence ? – ...........................................................

**5** ▪ – Vous achetez un billet ? – ...........................................................

**6** ▪ – Nous passons à la banque le jeudi ? – ...........................................................

## ⑩ Forme négative de l'impératif.

*Exemple :* Écoutez.
> ⇨ **Non, n'écoutez pas !**

**1** ▪ Payez par chèque. ...........................................................

**2** ▪ Plaisantez avec les clients. ...........................................................

**3** ▪ Pose les lettres sur le bureau. ...........................................................

**4** ▪ Emmène le stagiaire dans le bureau. ...........................................................

**5** ▪ Achète des fleurs pour Benoît. ...........................................................

---

**Le pluriel des pronoms toniques**

1re personne : nous
2e personne : vous
3e personne : eux (masculin)
              elles (féminin)

---

**11** *Quel*, **adjectif exclamatif.**

*Transformez la phrase comme dans l'exemple. Attention à la place de l'adjectif.*
*Exemple :* Les fleurs sont belles. ⇨ **Quelles belles fleurs !**

**1** ▪ Le stagiaire est timide. ................................................................................................

**2** ▪ Les gâteaux sont bons. ................................................................................................

**3** ▪ C'est une amie patiente. ................................................................................................

**4** ▪ Les collègues sont sympathiques. ................................................................................................

**5** ▪ L'idée est bonne. ................................................................................................

**12** *On*, **pronom indéfini.**

*Généralisez. Utilisez* **on** *à la forme affirmative ou à la forme négative selon le sens.*
*Exemple :* Parler tout le temps.
　　　　　⇨ **On ne parle pas tout le temps !**

**1** ▪ Acheter des fleurs à un homme. ................................................................................................

**2** ▪ Offrir des cadeaux à Noël. ................................................................................................

**3** ▪ Avoir faim quand on est jeune. ................................................................................................

**4** ▪ Tutoyer les clients. ................................................................................................

**5** ▪ Être heureux d'avoir des amis. ................................................................................................

## Écriture

**13** **Lettres muettes.**

*Barrez les lettres muettes.*
*Exemple :* **Benoît est agent de voyages.**

**1** ▪ Il aime les livres.　　　　　　**4** ▪ Ses gâteaux sont bons.

**2** ▪ Tu parles beaucoup.　　　　　**5** ▪ Ils n'ont pas le temps.

**3** ▪ Tes vacances sont finies ?　　　**6** ▪ Les hommes aussi aiment les fleurs.

**14** **Écrivez une carte de vœux.**

*Vous écrivez une carte de vœux de nouvel an*
*à un correspondant francophone.*

> *Cher Nicolas,*
>
> *C'est bientôt le 30 mars. Je pense beaucoup à toi*
> *et je te souhaite un bon anniversaire.*
> 　　　　　　　*Avec mes amitiés,*
> 　　　　　　　*Christophe*

*Cher/Chère* ................................................................................................
*C'est bientôt* ................................................................................................
*Je pense* ................................................................................................
................................................................................................
................................................................................................
................................................................................................

*OK*

## Vocabulaire

### ① Chassez l'intrus.

**1** ▪ Souvent – efficace – facile – préféré.

**2** ▪ Tennis – natation – judo – musique.

**3** ▪ Lire – écrire – manger – apprendre.

**4** ▪ Guitare – photo – violon – piano.

### ② Retrouvez les mots.

*Complétez les phrases avec des mots des dialogues.*

**1** ▪ Claudia fait des ......*études*...... de droit à la fac.

**2** ▪ Claudia et Julie font une ......*enquête*...... sur les activités préférées des Français.

**3** ▪ Le jeune homme interrogé ......*invite*...... souvent des amis chez lui.

**4** ▪ Mon amie aime beaucoup la ......*musique*...... Elle ......*joue*...... du piano.

**5** ▪ Les enfants jouent à des ......*jeux*...... vidéo.

### ③ De quoi est-ce qu'ils ont l'air ?

*Utilisez : heureux – malheureux – gai – triste – gentil – méchant.*

**1** ▪ Il a l'air ......*gentil*......

**2** ▪ *Il a l'air heureux*

**3** ▪ *Il a l'air gai*

**4** ▪ *Il a l'air malheureux*

**5** ▪ *Il a l'air méchant*

**6** ▪ *Il a l'air triste*

Imitez les enregistrements.
Soyez attentifs à la prononciation et à l'intonation. Répétez plusieurs fois à haute voix.

# Grammaire

### ④ Posez des questions avec *faire*.

**1 ▪** ........*Ils font du sport* ........................................................................ ?

– Oui, ils font beaucoup de sport.

**2 ▪** ........*Qu'est-ce qu'elle fait en ce moment* ................................. ?

– Elle fait une enquête.

**3 ▪** ........*Tu faiS du tennis* .............................................................. ?

– Oui, je fais souvent du tennis.

*Quand*

**4 ▪** ........*Est-ce que vous faites les courses* ............................ ?

– Nous faisons des courses tous les jours.

**5 ▪** ........*Qu'est-ce qu'elle font dan la vie* ................................ ?

– Elles font des études de français à la fac.

### ⑤ À et *de* + articles.

*Complétez les phrases.*

**1 ▪** Elle joue souvent ........*au*........ tennis et ........*aux*........ jeux vidéo.

**2 ▪** Ils jouent ........*du*........ violon et ....*de la*.... guitare.

**3 ▪** Vous faites ....*de la*.... natation et ........*du*........ vélo.

**4 ▪** Ils font ....*de la*.... peinture et ........*de la*........ photo.

**5 ▪** Elles vont ........*au*........ cinéma et ........*au*........ théâtre.

### ⑥ Présent de *lire*.

*Complétez la conversation avec le verbe **lire**.*

**1 ▪** Qu'est-ce que tu ........*lis*........ ?

**2 ▪** Je ....*lis*.... *L'Étranger* d'Albert Camus.

**3 ▪** Ah, c'est amusant. Mes parents aussi ....*lisent*.... ce livre.

**4 ▪** Vous ....*lisez*.... beaucoup dans votre famille ?

**5 ▪** Oui, nous ....*lisons*.... beaucoup, nous adorons la lecture.

### ⑦ Ne pas faire de...

*Terminez les phrases comme dans l'exemple.*

*Exemple :* Mon fils fait du judo, mais mon mari et moi...

⇨ **– Mon fils fait du judo, mais mon mari et moi nous ne faisons pas de judo.**

**1 ▪** Ma femme fait des études, mais moi ....*je ne fais pas d'etudes* ...................................................................

**2 ▪** Mon mari fait du théâtre, mais vous ....*vous ne faites pas de* .... *théâtre*

**3 ▪** Ils font du vélo, mais nous ....*nous ne faisons pas de vélo* ....

**4 ▪** Je fais du sport, mais toi ....*tu ne fais pas de sport* ....

## ⑧ Présent de *aller*.

*Complétez le dialogue avec le verbe **aller** au présent.*

1 ▪ Où est-ce que tu ...*vas*....... ?

2 ▪ Je .....*vais*........ à la poste avec Liliane.

3 ▪ Vous ....*allez*...... au cinéma après la poste ?

4 ▪ Non, nous ...*allons*.... au musée du Louvre.

5 ▪ Et les enfants ....*vont*...... au musée avec vous ?

6 ▪ Non, ils restent à la maison.

## ⑨ Qu'est-ce qu'ils font ?

*Regardez les dessins. Trouvez des activités pour ces gens.*

1 ▪ Il aime la musique classique. *Il joue du piano. Il ecute de la musique. Il va aux concerts de musique classique*

2 ▪ Elle fait du sport, mais elle aime être seule. *Elle fait de la Natation. Elle fait de judo.*

3 ▪ Elle aime les activités culturelles. *Elle va au Theatre, elle lis une roman. Elle adore le cinéma.*

## ⑩ Conjugaison.

*Mettez les verbes au présent.*

Chère Sarah,

Je suis en vacances en Bretagne avec des amis. Demain, nous (aller) ...*allons*...... au bord de la mer. Je (lire) ......*lis*....... beaucoup, je (écrire) ...*s'écris*..... des lettres à mes amis, nous (faire) ...*faisons*.... beaucoup de sport. Le soir, je (aller) ...*vais*........ chez des voisins musiciens. Ils (faire) ......*font*..... de la guitare et (jouer) ...*jouent*... de la batterie. Quelle ambiance !

Et toi, qu'est-ce que tu (faire) ....*fais*....... ? Tu (aller) ...*vas*............. toujours à la montagne ? (écrire) ...*écris*......-moi et (dire) ...*Dis*..........-moi quels sont tes projets.

Bises,

Juliette

## ⑪ Depuis quand ?

*Répondez aux questions.*

1 ▪ Depuis quand est-ce qu'on voyage en avion ? *On voyage en avion depuis*

2 ▪ Depuis quand est-ce qu'on va au cinéma ? *On va au Cinéma depuis 10 ans*

3 ▪ Depuis quand est-ce que la tour Eiffel est à Paris ? *la tour Eiffel est à Paris depuis 1889*

4 ▪ Depuis quand est-ce que l'ordinateur existe ? *l'ordinateur exist depuis 50 ar 60*

## ⑫ Liaisons.

*Marquez les liaisons.*

*Exemple :* Elles font une enquête sur les activités préférées des hommes.

**1** ▪ Vous allez en Allemagne en avion ?

**2** ▪ Elles vont au cinéma le samedi, mais pas aujourd'hui.

**3** ▪ – Tu es espagnol ? – Mais oui.   *optional.*

**4** ▪ Tu as un appartement en Italie ?

## ⑬ Résumé.

*1) Lisez les deux résumés de l'épisode. Quel résumé choisissez-vous ?*

○ **a** ▪ Julie fait sa première enquête sur les activités préférées des Français. Claudia fait une enquête, elle aussi. Elle est très efficace. Elle parle à Julie. Julie n'a pas beaucoup de chance. Les gens ne répondent pas à ses questions. Mais un jeune homme accepte de répondre.

○ **b** ▪ Julie et Claudia font une enquête. Claudia est efficace, mais pas Julie : c'est sa première enquête. Mais un jeune homme répond à ses questions.

*2) Écrivez votre résumé en 60 à 80 mots.*

..............................................................................................................................
..............................................................................................................................
..............................................................................................................................
..............................................................................................................................
..............................................................................................................................
..............................................................................................................................
..............................................................................................................................

## ⑭ Demande de renseignements.

*Écrivez au centre pour demander les jours et les heures de cours et le prix d'inscription.*
*Puis, remerciez et utilisez la formule de salutation : **avec mes salutations distinguées.***

..............................................................................
..............................................................................
..............................................................................
..............................................................................
..............................................................................
..............................................................................
..............................................................................
..............................................................................
..............................................................................

> Notez les différences avec votre langue maternelle.
> Apprenez des phrases-exemples pour mémoriser les règles.

### Centre culturel
# de Moulon

**Cours de cuisine**
Mardi - Jeudi : 15h - 17h

**Cours de hip-hop**
Mercredi - Samedi : 18h30 - 20h30

**Cours de théâtre**
Lundi : 20h30 - 22h30

**Forfait trimestre : 105 €**
**Forfait Année : 275 €**
*pour deux activités*

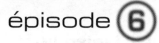
*OK*

## Vocabulaire

### ① Couleurs.

*Associez les éléments des deux colonnes.*

**1** ▪ *Le Rouge et le Noir*.    **a** ▪ Couleurs du drapeau français.

**2** ▪ *Le Grand Bleu*.    **b** ▪ Célèbre phrase surréaliste (d'André Breton).

**3** ▪ Bleu, blanc, rouge.    **c** ▪ Roman de Stendhal.

**4** ▪ *La Jument verte*.    **d** ▪ Film français de Luc Besson.

**5** ▪ "La terre est bleue comme une orange".    **e** ▪ Roman de Marcel Aymé

### ② Connaissez-vous ces expressions ?

*Associez l'expression et sa définition.*

**1** ▪ Donner le feu vert.    **a** ▪ Avoir très peur.

**2** ▪ Travailler au noir.    **b** ▪ Donner le signal du commencement.

**3** ▪ Voir la vie en rose.    **c** ▪ Être très en colère.

**4** ▪ Avoir une peur bleue.    **d** ▪ Être optimiste, heureux.

**5** ▪ Être rouge de colère.    **e** ▪ Travailler illégalement.

### ③ Nations et nationalités.

*Associez le nom du pays et le nom des habitants.*

**1** ▪ La Belgique.    **a** ▪ Les Hollandais.

**2** ▪ La Pologne.    **b** ▪ Les Polonais.

**3** ▪ La Russie.    **c** ▪ Les Autrichiens.

**4** ▪ L'Autriche.    **d** ▪ Les Russes.

**5** ▪ Les Pays-Bas.    **e** ▪ Les Argentins.

**6** ▪ L'Argentine.    **f** ▪ Les Anglais.

**7** ▪ L'Angleterre.    **g** ▪ Les Turcs.

**8** ▪ La Turquie.    **h** ▪ Les Belges.

### ④ Dans quel pays sont ces villes ?

*Associez la ville et le pays.*

**1** ▪ Rabat.    **a** ▪ La Bulgarie.

**2** ▪ Mexico.    **b** ▪ Le Canada.

**3** ▪ Québec.    **c** ▪ Le Maroc.

**4** ▪ Tunis.    **d** ▪ La Belgique.

**5** ▪ Bruxelles.    **e** ▪ Le Mexique.

**6** ▪ Sofia.    **f** ▪ La Tunisie.

> Apprenez les mots nouveaux dans des phrases.
> Prononcez les mots nouveaux à haute voix.

## Grammaire

### ⑤ Masculin, féminin.

*Trouvez les adjectifs de nationalité correspondant aux pays.*
*Écrivez ces adjectifs dans une des colonnes.*

Argentine – Colombie – Suisse – Grèce – Russie – Suède – Brésil –
Hollande – Mexique – Autriche – Allemagne – Turquie – Irlande –
Pologne – Danemark – États-Unis.

| Même forme | + e | -ien, -ienne | -ain, -aine | -c, -(c)que |
|---|---|---|---|---|
| Suisse | argentin(e) | colombien(ne) | Mexicain (e) | Grec(que) |
| Russe | Suédois (e) | autrichien(ne) | américain (e) | turc (que) |
| | holladais(e) | brésilien (ne) | | |
| | allemand(e) | | | |
| | irlandais (e) | | | |
| | polonais (e) | | | |
| | danois (e) | | | |

### ⑥ Prépositions et nationalités.

*Complétez les phrases et faites comme dans l'exemple.*
*Exemple :* Elles habitent … Portugal.

⇨ **Elles habitent au Portugal. Elles viennent du Portugal. Elles sont portugaises.**

1 ▪ Ils habitent …en… Autriche.
Ils viennent d'Autrice. Ils sont autrichiens

2 ▪ Vous vivez …en… Grèce.
Vous venez de Grèce, vous êtes grecques.

3 ▪ Elles ont leur maison …au… Danemark.
Elles viennent du Danemark, Elles sont Danoises

4 ▪ Tu vis …aux… États-Unis.
Tu viens des États-Unis, Tu est états-Unisien. (américain)

5 ▪ Nous avons un appartement …en… Angleterre.
Nous venons d'Angleterre. Nous sommes anglais

### ⑦ Venir.

*Complétez le dialogue avec le présent de **venir**.*

1 ▪ Tu ne …viens… pas souvent ici ?
2 ▪ Je …viens… pour les grandes vacances.
3 ▪ Ton frère …vient… aussi ?
4 ▪ Nous …venons… ensemble à Noël.
5 ▪ Vous ne …venez… jamais avec vos parents ?
6 ▪ Non, eux, ils …viennent… au printemps.

## ⑧ Groupe du nom.

**En + matière :**
*en soie, en laine...*

*Avec les mots suivants, composez des groupes du nom.*
*Exemple :* Collier – or – jaune – joli.

⇨ **Un joli collier en or jaune.**

**1** ▪ Chemisier – soie – rose – beau.

*Un beau Chemisier en soie rose*

**2** ▪ Ceinture – cuir – noir – long.

*Une longue Ceinture en cuir noir*

**3** ▪ Sac – plastique – rouge – grand.

*Un grand sac en plastique rouge.*

**4** ▪ Pull – laine – bleu – vieux.

*Un vieux pull en laine bleue*

**5** ▪ Chaussures – cuir – marron – neuf.

*Des chaussures neuves en cuir marron.*

## ⑨ Adjectifs possessifs.

*Complétez avec des adjectifs possessifs.*

Aujourd'hui, elle met ......*son*...... pull rouge, ......*sa*...... jupe noire et ......*ses*......
chaussures blanches. Elle met aussi ......*son*...... beau collier en or et ......*sa*...... bague.
Lui, il porte ......*son*...... costume bleu, ......*sa*...... cravate verte et ......*ses*......
chaussures marron. Il a aussi ......*sa*...... montre. *cravate*

## ⑩ *Finir, partir* et *sortir.*

*Trouvez la question.*

**1** ▪ – ......*À quelle heure est-ce que vous sortez*...... ?

– Nous sortons à 5 heures.

**2** ▪ – ......*Quand est-ce que il part*...... ?

– Il part la semaine prochaine.

**3** ▪ – ......*À quelle heure est-ce que Tu finis de travailler*...... ?

– Je finis de travailler à 6 heures.

**4** ▪ – ......*Est-ce qu'elles sortent ce soir*...... ?

– Oui, elles sortent ce soir.

**5** ▪ – ......*Quand est-ce que nous partons en vacances*...... ?

– Nous partons en vacances le 1er juillet.

## ⑪ Adjectifs possessifs au pluriel.

*Complétez avec les adjectifs possessifs des trois personnes du pluriel.*

**1** ▪ – Vous partez chez ......*vos*...... amis ? – Non, ......*nos*...... amis ne sont pas chez eux.

**2** ▪ – Ils montrent ......*leurs*...... photos ? – Oui, et nous montrons ......*nos*...... dessins.

**3** ▪ – ......*vos*...... voisins ont des enfants ? – Oui, et ils viennent jouer dans ......*notre*...... jardin.

**4** ▪ – ......*Vos/leurs*...... amis sont chez vous ? – Oui, ils attendent ......*votre / leur*...... visite.

**5** ▪ – Ce sont ......*vos*...... foulards ? – Oui, vous aimez ......*nos*...... créations ?

*leurs*                    *leurs*

## ⑫ Place des adjectifs.

*Transformez les phrases comme dans l'exemple.*

*Exemple :* Le jeune homme est grand et brun et il a une cravate.

⇨ **C'est le grand jeune homme brun avec la cravate. C'est François.**

**1 ▪** La jeune femme est brune et elle porte un chemisier rose.

*C'est la jeune femme brune avec le chemisier rose. C'est Violaine*

**2 ▪** La jeune femme est grande et brune et elle porte un pull bleu et un manteau noir.

*C'est la grande jeune femme brune avec le pull bleu et le manteau noir. C'est Claudia.*

**3 ▪** La jeune femme est jolie. Elle porte un manteau et un pull marron.

*C'est la jolie jeune femme avec le manteau et le pull marron. C'est Julie.*

**4 ▪** Le jeune homme est brun. Il porte un costume gris et une chemise bleue.

*C'est le brun jeune homme avec le costume gris et la chemise bleue. C'est Yves.*

## Écriture

## ⑬ Orthographe.

*Complétez. Utilisez* **à, a** *ou* **as, la** *ou* **là, ou** *ou* **où**.

**1 ▪** Hervé, tu es ......*là*...... ? Tu ......*as*...... ......*la*...... lettre ?

**2 ▪** Faire la fête ......*ou*...... travailler.

**3 ▪** Elle ......*a*...... de ......*la*...... chance !

**4 ▪** Mets ......*la*...... robe bleue ......*là*......, sur ......*la*...... chaise.

**5 ▪** Vous entrez ......*ou*...... vous sortez ? ......*Où*...... est-ce que vous partez ?

## ⑭ Qu'est-ce qu'il se passe ?

*Complétez ce résumé.*

Julie et Claudia passent devant une boutique-atelier. Yves invite les deux jeunes femmes à entrer.

Des artistes font une fête. Julie rencontre François ............................................................

............................................................................................................................

............................................................................................................................

............................................................................................................................

............................................................................................................................

## ⑮ Écrivez à votre correspondant.

*Sur une feuille séparée, vous écrivez une première lettre à votre correspondant.*
*Vous parlez de vous (couleur de vos cheveux et de vos yeux, taille…), de votre caractère,*
*de vos goûts, de vos préférences pour les activités culturelles ou sportives. Et vous posez des*
*questions personnelles à votre correspondant.*

> Demandez aux autres comment ils apprennent.
> Variez vos techniques d'apprentissage.

## Vocabulaire

### ① Associez les mots et les expressions.

*Réunissez l'action et le lieu et faites des phrases.*
*Exemple :* Prendre le train.
⇨ **On prend le train dans une gare**.

| | | | |
|---|---|---|---|
| **1** ▪ Prendre le RER. | | **a** ▪ Une banque. |
| **2** ▪ Changer de l'argent. | | **b** ▪ Un marchand de journaux. |
| **3** ▪ Déjeuner. | | **c** ▪ Un bureau d'information. |
| **4** ▪ Se renseigner. | | **d** ▪ Une station de métro. |
| **5** ▪ Acheter un journal. | | **e** ▪ Un restaurant. |

.............................................................................................................

.............................................................................................................

.............................................................................................................

.............................................................................................................

.............................................................................................................

### ② Vocabulaire des transports.

*Remplissez les grilles.*

**1** ▪ Quand la circulation est très dense.

**2** ▪ Moyen de transport à deux roues.

**3** ▪ Moyen de transport individuel, cher.

**4** ▪ Nom correspondant au verbe *informer*.

**5** ▪ Grosse voiture pour transporter beaucoup de gens.

**6** ▪ Moyen de transport souterrain dans les grandes villes.

**7** ▪ Moyen pour aller d'un lieu à un autre.

**8** ▪ Va très vite d'un continent à l'autre.

**9** ▪ Elles sont quatorze dans le métro parisien.

Grille :
1 E M B O U T E I L L A G E
2 M O T O
4 I N F O R M A T I O N
3 T A X I
8 A V I O N
6 M É T R O
7 T R A N S P O R T
9 L I G N E S
5 A U T O B U S

### ③ Mélanges de couleurs.

*Exemple :* Avec ... et du noir, on fait du gris.
⇨ **Avec du blanc et du noir, on fait du gris**.

**1** ▪ Avec du jaune et ....du rouge............, on fait de l'orange.

**2** ▪ Le rouge et ....le bleu............ donnent du violet.

**3** ▪ Avec du bleu et ....du jaune......, .........donnent............ du vert.

**4** ▪ Le .....rouge......, ................... et le bleu ......................... du marron.

**5** ▪ ..................................................................... rose.

# Grammaire

**④ Aller.**

*Complétez avec le verbe aller.*

Il y a une grève générale. Les gens …*vont*……… dans les stations de métro, mais le métro
ne marche pas. Des autobus fonctionnent, mais ils ne …*vont*…… pas loin. Si vous
…*allez*…… au centre, prenez un taxi ou bien marchez. Moi, je …*vais*……… loin. On me
dit : « Si tu …*vas*……… en banlieue, prends ta voiture. » Oui, mais je n'ai pas de voiture !

**⑤ Prépositions + moyens de transport.**

*Faites une phrase avec le moyen de transport choisi dans chaque cas.* cada caso
*Exemple :* Benoît met une heure pour aller à son bureau. ⇨ **Il va au bureau à pied**.

**1 ▪** Pascal va au Blanc-Mesnil.
…*Pascal prend sa voiture pour aller au Blanc-Mesnil.*…

**2 ▪** Julie va au centre de Paris.
…*Julie prend un autobus pour aller au centre de Paris.*…

**3 ▪** Ils vont en banlieue. (suburbio)
…*Ils mettent dix minutes pour aller en banlieue.*…

**4 ▪** Nicolas est canadien. Il repart à Montréal.
…*Nicolas prend un avion pour aller à Montréal.*…

**5 ▪** Les parents de Julie viennent de province.
…*Ils mettent quatre heures pour venir de province.*…

**⑥ Présent de *prendre* et de *mettre*.**

*Complétez les phrases.*

**1 ▪** Ils …*prennent*…… leur petit déjeuner. (almorzar)

**2 ▪** Tu …*prends*…… ton blouson bleu aujourd'hui ?

**3 ▪** Il …*prend*…… sa voiture ?

**4 ▪** Elles …*prennent*…… une heure pour aller au centre de la ville.

**5 ▪** Nous …*prenons*…… la moto pour aller chez nos amis.

**⑦ Trouvez la question.**

*Utilisez des interrogations indirectes. Commencez les phrases par **se demander** ou **savoir**.*
*Exemple :* – … ? – En moto. ⇨ – **Vous savez comment Pascal va au centre culturel ?**

**1 ▪** – …*Vous savez comment J'entre à la chapelle*………… ?
– Oui, entre la Porte Maillot et la Porte de la Chapelle.

**2 ▪** – …*Quelles lignes ne fonctionnent pas*………… ?
– Les lignes 3, 4, 6 et 11 ne fonctionnent pas.

**3 ▪** – …*Vous savez comment il va au bureau.*………… ?
– Il va au bureau à pied.

**4 ▪** – …*Qu'est-ce que il fait là*………… ?
– Il fait un remplacement dans un centre culturel.

⑧ *Si* + **proposition principale à l'impératif.**

*Mettez ensemble les deux parties des phrases.*

1 ▪ Si vous allez en ville, *ciudad*      a ▪ mets des chaussures confortables.

2 ▪ Si tu pars en taxi,     b ▪ mets ton manteau.

3 ▪ Si vous prenez votre voiture,     c ▪ prenez un taxi.

4 ▪ Si tu vas au bureau à pied,     d ▪ faites attention à la circulation.

5 ▪ S'il fait froid,     e ▪ prends de l'argent.

⑨ *Il y a.*

*Dites si ces phrases expriment la présence de gens ou d'objets (P), l'existence de faits ou d'événements (E) ou la durée (D).*

(P) 1 ▪ Il y a beaucoup de gens dans la rue.     ( ) 4 ▪ Il n'y a pas de bus aujourd'hui.

( ) 2 ▪ Il y a longtemps qu'on en parle.     (P) 5 ▪ Il y a un an que je connais Nicolas.

( ) 3 ▪ Il y a un journal sur la table.     (P) 6 ▪ Qu'est-ce qu'il y a ?

⑩ *Il y a, il n'y a pas.*

*Faites des phrases comme dans l'exemple.*

*Exemple :* Avions – trains. ⇨ **Il y a des avions, mais il n'y a pas de trains.**

1 ▪ Grève – trop de perturbations.

*Il y a une grève, mais il n'y a pas une trop de perturbations*

2 ▪ Un bus sur quatre – métro.

*Il y a un bus sur quatre, mais il n'y a pas un métro*

3 ▪ Beaucoup de circulation – embouteillages.

*Il y a beaucoup de circulation, mais il n'y a pas embouteillages*

4 ▪ Des informations à la radio – journaux.

*Il y a des informations à la radio, mais il n'y a pas journaux*

5 ▪ Des problèmes – solution.

*Il y a des problèmes, mais il n'y a pas solution.*

⑪ *Depuis, il y a... que.*

*Dites-le autrement.*

*Exemple :* Ils écoutent les informations depuis une heure.

⇨ **Il y a une heure qu'ils écoutent les informations.**

1 ▪ Les trois amis vivent dans le même appartement depuis des mois.

*Il y a des mois que les trois amis vivent dans le même appart*

2 ▪ On parle de ces grèves depuis deux semaines.

*Il y a deux semaines que on parle de ces grèves.*

3 ▪ Pascal connaît François depuis une semaine.

*Il y a une semaine q Pascal connaît François.*

4 ▪ Pascal attend le directeur depuis une demi-heure.

*Il y a une demi-heure q Pascal attend le directeur*

5 ▪ Il n'y a plus de trains depuis déjà deux jours.

*Il y a déjà deux jours que il n'y a plus de trains.*

# Écriture

## ⑫ Orthographe.

*Trouvez des mots écrits avec le son [o]. Classez ces mots dans le tableau.*

**1** ▪ Il va au bureau en vélo.

**2** ▪ En moto, on a mal au dos.

**3** ▪ Voilà un mot nouveau.

**4** ▪ Il fait chaud au pôle nord.

**5** ▪ Mentir est un gros défaut.

**6** ▪ Quels beaux gâteaux !

**7** ▪ C'est un faux numéro.

**8** ▪ Il met son manteau et son chapeau.

| o | ô | ot | os | au | aud | aut | aux | eau | eaux |
|---|---|----|----|-----|-----|-----|-----|-----|------|
| *vélo* | *Pôle* | | | *au* | *chaud* | *défaut* | | *bureau* | *beaux* |
| *moto* | | | | | | | | *nouveau* | |
| | | | | | | | | | |
| | | | | | | | | | |

## ⑬ Elle demande de l'aide.

*Lisez la conversation entre Aline et Gérard et remplissez leur agenda.*

ALINE : Allô, Gérard ? C'est Aline.

GÉRARD : Bonjour Aline. Tu vas bien ?

ALINE : Ah, non, pas du tout.

GÉRARD : Qu'est-ce qui ne va pas ?

ALINE : J'ai une journée folle et avec la grève !…

GÉRARD : Dis-moi ce que tu fais.

ALINE : J'ai rendez-vous à 9 h 30 chez mon dentiste, porte Maillot.

GÉRARD : Pas de problème, je suis chez toi à neuf heures.

ALINE : À midi et demi, je déjeune avec un client sur les Champs-Élysées. C'est très important.

GÉRARD : C'est ennuyeux. Je déjeune avec François au Quartier latin à une heure. Je vais voir…

ALINE : À 3 heures et demie, j'ai une réunion au bureau et à 6 heures moins 25 je vais chercher ma mère à la gare de l'Est.

GÉRARD : Mme Marchand vient visiter mon appartement à 3 heures et à 6 heures je vais au cinéma avec Michelle dans le 13e… Mais ne t'en fais pas, j'arrive.

### Agenda d'Aline

9 h  *dentiste*
10 h
11 h
12 h
13 h
14 h
15 h
16 h
17 h
18 h

### Agenda de Gérard

9 h
10 h
11 h
12 h
13 h
14 h
15 h
16 h
17 h
18 h

## Vocabulaire

### ① Chassez l'intrus.

**1** ▪ À l'heure – souvent – en avance – en retard.

**2** ▪ Organiser – animer – exagérer – enseigner.

**3** ▪ Sympa – heureux – triste – de bonne humeur.

**4** ▪ Se renseigner – s'inquiéter – surveiller – s'asseoir.

### ② Phrases incomplètes.

*Complétez les phrases avec un des mots suivants :*
**indemnités – repas – garé – sous-sol – bibliothèque.**

**1** ▪ M. Fernandez a ................................ sa voiture dans la rue.

**2** ▪ Les jeunes prennent leur ................................ à la cafétéria.

**3** ▪ Les animateurs touchent des ................................ de transport.

**4** ▪ Les jeunes vont lire dans la ................................ .

**5** ▪ Les cuisines sont au ................................ .

### ③ Quels verbes leur correspondent ?

*1) Donnez l'infinitif des verbes correspondants.*

**a** ▪ Exagération.     ➜............................

**b** ▪ Installation.     ➜............................

**c** ▪ Remplacement.   ➜............................

**d** ▪ Renseignement.  ➜............................

**e** ▪ Organisation.    ➜............................

**f** ▪ Fonctionnement. ➜............................

**g** ▪ Rémunération.   ➜............................

*2) Quel est le genre (masculin ou féminin) des noms dérivés de verbes :*

**a** ▪ *terminés en -**ment** ?* ................................

**b** ▪ *terminés en -**ion** ?* ................................

### ④ Il y a des choses à faire.

*Complétez les phrases.*
*Utilisez les verbes suivants :* **organiser – trouver – donner – faire – suivre.**

**1** ▪ Il y a des solutions à ................................ .

**2** ▪ Il y a des cours à ................................ .

**3** ▪ Il y a des présentations à ................................ .

**4** ▪ Il y a un stage à ................................ .

**5** ▪ Il y a des activités à ................................ .

# Grammaire

## ⑤ Participe passé et infinitif.

*Donnez les infinitifs correspondant aux participes passés suivants.*

**1** ▪ Appris. → ...................................
**2** ▪ Sorti. → ...................................
**3** ▪ Ouvert. → ...................................
**4** ▪ Attendu. → ...................................
**5** ▪ Eu. → ...................................
**6** ▪ Pris. → ...................................
**7** ▪ Été. → ...................................
**8** ▪ Fait. → ...................................
**9** ▪ Parti. → ...................................

**10** ▪ Mis. → ...................................
**11** ▪ Écrit. → ...................................
**12** ▪ Lu. → ...................................
**13** ▪ Vendu. → ...................................
**14** ▪ Fini. → ...................................
**15** ▪ Compris. → ...................................
**16** ▪ Suivi. → ...................................
**17** ▪ Vu. → ...................................

## ⑥ Passé composé avec *avoir*.

*Mettez les verbes entre parenthèses au passé composé.*

**1** ▪ Pascal (rencontrer) ............................... Isabelle.

**2** ▪ Elle lui (expliquer) ............................... le fonctionnement du centre.

**3** ▪ Ils (visiter) ............................... les ateliers d'activités.

**4** ▪ Ensuite, Pascal (voir) ............................... une démonstration de hip-hop.

**5** ▪ Il (rencontrer) ............................... un jeune, Akim.

**6** ▪ Pascal (prendre) ............................... un verre à la cafétéria.

**7** ▪ Enfin, Pascal (retrouver) ............................... M. Fernandez
et ils (parler) ............................... du salaire de Pascal.

## ⑦ Passé composé.

*Mettez les verbes entre parenthèses au passé composé.*

**1** ▪ Deux modèles (révolutionner) ............................... la conception des voitures
françaises : la 2 CV et la DS.
La 2 CV (rouler) ............................... sur les routes pour la première fois
en 1948.
La DS (faire) ............................... son apparition en 1955.

**2** ▪ Les premiers essais du TGV, le train à grande vitesse, (avoir lieu) ...............................
en 1976.

**3** ▪ On (lancer) ............................... l'avion supersonique Concorde en 1976.

**4** ▪ Dès 1955, on (construire) ............................... en série le premier avion civil
à réaction, la Caravelle.

**5** ▪ En 1994, la société Peugeot-Citroën (proposer) ............................... au grand
public la première voiture électrique.

> Réfléchissez aux techniques d'apprentissage.
> Choisissez votre technique de travail.

## ⑧ Plusieurs fois par semaine !

*Répondez aux questions.*

**1** ▪ Combien de fois est-ce qu'Akim va au centre ?

.................................................................................................................................

**2** ▪ Vous, vous n'allez jamais voir des films au cinéma ?

.................................................................................................................................

**3** ▪ Et vos amis, ils vont toujours visiter les expositions ?

.................................................................................................................................

**4** ▪ Vous n'allez jamais faire du sport ?

.................................................................................................................................

**5** ▪ Et vos amies, elles vont souvent faire des courses ?

.................................................................................................................................

## ⑨ *Aller + infinitif.*

*Mettez les verbes entre parenthèses au futur proche.*

**1** ▪ – Qu'est-ce que tu (faire) ..... *vas faire* ............ à Noël ?

– Je (aller) ...... *vais aller* ........ chez mes parents.

**2** ▪ – Vous (voir) ..... *allez voir* .......... un film ?

– Non, on (acheter) ...... *va acheter* ...... un cadeau pour la fête des Mères.

**3** ▪ – Ils (jouer) ..... *vont jouer* ...... au foot ?

– Oui, ils (s'entraîner) ...... *vont s'entraîner* .

**4** ▪ – Elle (sortir) ..... *va sortir* ......... aujourd'hui ?

– Oui, nous (faire) .... *allons faire* ...... des courses ensemble.

**5** ▪ – Tu (garer) ..... *vas garer* .......... ta voiture au parking ?

– Non, je (garer) .... *vais garer* ...... la voiture dans la rue.

## ⑩ Passé composé, futur proche.

*1) Rédigez un texte au passé composé.*
*Utilisez : prendre l'autobus à 8 heures et demie – mettre une demi-heure pour aller au bureau – lire son courrier – répondre aux lettres – déjeuner à la cafétéria – faire de la gymnastique – recommencer à travailler à 2 heures – donner des coups de téléphone – parler avec ses collègues – envoyer des fax – faire des photocopies – finir son travail à 5 heures.*

*Hier, j'ai pris l'autobus à 8 heures et demie. J'ai mis une demi-heure pour aller au bureau. J'ai lu son courrier. J'ai répondru aux lettres. Je déjeuner à la cafétéria. J'ai faire de la gymnastique. J'ai recommené à travailler. J'ai donné des coups. J'ai parlé avec ses collègues.*

*2) Écrivez un texte au futur proche avec les mêmes expressions.*

*Demain, je vais prende l'autobus. Je vais mettre une demi-heure je vais*

.................................................................................................................................

.................................................................................................................................

.................................................................................................................................

## ⑪ Dites que si.

*Utilisez le passé composé à la forme négative, puis répondez affirmativement.*

*Exemple :* Pascal – prendre la moto de François.

⇨ **– Pascal n'a pas pris la moto de François ? – Si, il a pris sa moto.**

**1 ▪** Pascal – mettre une heure pour aller au Blanc-Mesnil.

*Pascal n'a pa mét une heure pour aller au Blanc-Mesnil. Si, il a mis une heure*

**2 ▪** Pascal – être animateur.

*Pascal n'a pa été animateur. Si, il a été animateur*

**3 ▪** Pascal et Isabelle – visiter les ateliers du centre.

*Pascal et Isabelle n'a pa visité les ateliers du centre. Si, P & I*

**4 ▪** Isabelle – présenter les animateurs à Pascal.

*Isabelle n'a pa présenté les animateurs à Pascal. Si, elle a presenté les animateurs*

**5 ▪** M. Fernandez – trouver une solution.

....................................................................................................................

## Écriture

## ⑫ Exprimez-vous.

*1) Mettez les photos dans l'ordre.*

*2) Écrivez ce que chaque photo vous suggère.*

a    b    c    d

e    f    g    h

◯ **1 ▪** ....................................................................................................
◯ **2 ▪** ....................................................................................................
◯ **3 ▪** ....................................................................................................
◯ **4 ▪** ....................................................................................................
◯ **5 ▪** ....................................................................................................
◯ **6 ▪** ....................................................................................................
◯ **7 ▪** ....................................................................................................
◯ **8 ▪** ....................................................................................................

*3) Écrivez le résumé des deux épisodes sur une feuille séparée.*

# Révision 1

## ① Formez des paires.

*Associez les mots suivants deux à deux. Faites précéder les noms d'un article.*
*Exemple : L'employée et le bureau.*

**1** ▪ Employée – bouquet – lettre – salon – fête – nom – mère – chèque – anniversaire – cuisine – fleur – courrier – prénom – père – carte bancaire – bureau.

................................................................................................................................

................................................................................................................................

**2** ▪ Moto – circulation – immeuble – cuir – cinéma – métro – casque – musée – jardin – ceinture – pantalon – embouteillage – RER – bâtiment – exposition – pull – campagne – théâtre.

................................................................................................................................

................................................................................................................................

## ② Transformez.

*1) Mettez au féminin.*

**a** ▪ Il est français, il est jeune, il est sérieux.

................................................................................................................................

**b** ▪ C'est un bel Italien. Il a un bon ami espagnol.

................................................................................................................................

**c** ▪ Je suis heureux de souhaiter la bienvenue à notre nouveau stagiaire.

................................................................................................................................

*2) Mettez les phrases ci-dessus au pluriel.*

**a** ▪ ................................................................................................................................

**b** ▪ ................................................................................................................................

**c** ▪ ................................................................................................................................

## ③ Répondez affirmativement.

**1** ▪ – Tu n'as pas pris le métro ce matin ? – ...............................................................................

**2** ▪ – Tu as téléphoné ce matin ? – ...........................................................................................

**3** ▪ – On n'a pas réparé ta voiture ? – ......................................................................................

**4** ▪ – Tu ne vas pas chez les Cartier ce soir ? – .........................................................................

## ④ Qu'est-ce qu'on dit dans ces situations ?

**1** ▪ Un(e) de vos ami(e)s vous montre un de ses tableaux. Vous exprimez votre appréciation.

................................................................................................................................

**2** ▪ Votre amie a une jolie robe. Vous faites un compliment.

................................................................................................................................

**3** ▪ On vous invite. Vous refusez poliment et vous donnez une raison.

................................................................................................................................

**4** ▪ On vous demande : « Qu'est-ce que vous aimez faire ? »

................................................................................................................................

## ⑤ Trouvez les questions.

**1** ▪ – ........................................................................................................ ?

– Au 9 rue du Four.

**2** ▪ – ........................................................................................................ ?

– C'est le 01 45 42 56 78.

**3** ▪ – ........................................................................................................ ?

– Dans une agence de voyages.

**4** ▪ – ........................................................................................................ ?

– C'est pour acheter un billet.

**5** ▪ – ........................................................................................................ ?

– C'est pour une amie.

## ⑥ Conjugaison.

*Complétez le texte avec les verbes suivants :* **sortir – mettre – prendre – attendre – mettre – travailler – partir – lire – revenir – prendre.**

Le matin nous ............................... le petit déjeuner à 7 heures et demie. Nous

............................... le journal, puis nous ............................... nos manteaux

et nous ............................... le bus. Nous n' ...............................

pas longtemps.

Nous ............................... 20 minutes pour arriver au centre. Nous

............................... toute la journée. À 5 heures 30, nous ............................... du

bureau et nous ............................... chez nous. Le soir, nous ne ...............................

pas souvent.

## ⑦ Qu'est-ce qu'ils ont fait ?

*Mettez les verbes entre parenthèses au passé composé.*

Hier, dimanche, il (faire) ............................... beau. Le matin, nous (jouer)

............................... au tennis. Nous (déjeuner) ...............................

au restaurant. Puis, nous (visiter) ............................... le château de Chambord.

Nous (acheter) ............................... des cartes postales pour envoyer à nos parents.

Nous (rencontrer) ............................... des amis. Avec eux, nous (prendre)

............................... une bière et nous (parler) ............................... de notre

visite. Nous (quitter) ............................... le château à 5 heures. Nous (mettre)

............................... deux heures pour rentrer chez nous.

## ⑧ Quelles sont les prépositions ?

*Complétez.*

**1** ▪ Ils arrivent ...... Portugal et ils vont ...... Autriche.

**2** ▪ Ils habitent ...... Italie, mais ils vont souvent ...... Espagne.

**3** ▪ Elles viennent ...... États-Unis et elles vont rester ...... Paris.

**4** ▪ Ils arrivent ...... Belgique et ils vont ...... Luxembourg.

**5** ▪ Elle vient ...... Paris et elle va ...... Nice.

## Vocabulaire

### ① Quel est le contraire ?

*Donnez le contraire des verbes suivants.*

**1** ▪ Arriver ≠ ...............................

**2** ▪ Entrer ≠ ...............................

**3** ▪ Descendre ≠ ...............................

**4** ▪ Se lever ≠ ...............................

**5** ▪ Se rappeler ≠ ...............................

**6** ▪ Se déshabiller ≠ ...............................

### ② Chassez l'intrus.

*Dites quel mot ne va pas avec les autres et dites pourquoi.*
*Exemple : S'asseoir – se promener – manger – s'occuper.*
⇨ ***Manger** n'est pas un verbe pronominal.*

**1** ▪ Se lever – s'habiller – se coucher – dormir. ......................................................................
......................................................................

**2** ▪ Entrer – rester – danser – arriver. ......................................................................
......................................................................

**3** ▪ Mois – tôt – tard – de bonne heure. ......................................................................
......................................................................

**4** ▪ Élégante – curieuse – belle – ravissante. ......................................................................
......................................................................

### ③ Reconnaissance du genre des noms.

*1) Lisez les mots suivants et notez par quel son ils se terminent : voyelle **(V)** ou consonne **(C)**.*

○ **a** ▪ Taxi.　　　　○ **k** ▪ Cuisine.

○ **b** ▪ Écriture.　　　○ **l** ▪ Bâtiment.

○ **c** ▪ Train.　　　　○ **m** ▪ Ligne.

○ **d** ▪ Repas.　　　　○ **n** ▪ Bureau.

○ **e** ▪ Numéro.　　　○ **o** ▪ Bibliothèque.

○ **f** ▪ Capitale.　　　○ **p** ▪ Grève.

○ **g** ▪ Pied.　　　　○ **q** ▪ Atelier.

○ **h** ▪ Pancarte.　　　○ **r** ▪ Chance.

○ **i** ▪ Reçu.　　　　○ **s** ▪ Métro.

○ **j** ▪ Matin.　　　　○ **t** ▪ Tête.

*Quel est le genre (masculin ou féminin) des noms terminés :*

**a** ▪ par un son de voyelle ? : ...............................................................................................

**b** ▪ par un son de consonne ? : ...........................................................................................

**2)** *Observez le son final et la lettre finale des mots suivants et dites quel est le genre des mots de la ligne **a** puis de la ligne **b**.*

**a** ▪ Trafic – bus – vol – rap – sous-sol – transport –

journal – aéroport – parc – couvert      → ...............................

**b** ▪ Rue – Italie – soirée – monnaie – venue – roue.      → ...............................

④ **Exprimez le temps.**

*Complétez le tableau.*

| Hier | Aujourd'hui | Demain |
|------|-------------|--------|
| hier matin | ................ | demain matin |
| ................ | cet après-midi | ................ |
| hier soir | ................ | ................ |

## Grammaire

⑤ **Passé composé avec *être*, accord du participe.**

*Racontez par écrit ce que Claire a fait hier matin.*

.........................................................................................................................................

.........................................................................................................................................

.........................................................................................................................................

.........................................................................................................................................

.........................................................................................................................................

.........................................................................................................................................

.........................................................................................................................................

.........................................................................................................................................

**⑥ Passé composé avec *avoir* ou *être*, accord du participe.**

*Mettez les verbes entre parenthèses au passé composé et faites l'accord du participe passé si c'est nécessaire.*

Hier, elles (s'habiller) ................................ et elles (se préparer) ................................ à recevoir leurs amies. Elles (s'asseoir) ................................ dans le salon. Elles (prendre) ................................ du thé et elles (parler) ................................ . Elles (attendre) ................................ . Personne n' (venir) ................................ . Elles (s'inquiéter) ................................ et elles (téléphoner) ................................ à leurs amies. Personne n' (répondre) ................................ . Elles (passer) ................................ un très mauvais après-midi !

**⑦ Participe passé des verbes pronominaux.**

*1) Quels sont les infinitifs des verbes des phrases ci-dessous ?*

   **a** ▪ Elle s'est occupée de lui.                             ➔ ................................
   **b** ▪ Ils se sont vite tutoyés.                              ➔ ................................
   **c** ▪ Elle s'est bien habillée pour lui plaire.             ➔ ................................
   **d** ▪ Vous vous êtes renseignées ?                          ➔ ................................
   **e** ▪ Elles se sont levées tôt ce matin.                    ➔ ................................
   **f** ▪ Ils se sont rencontrés hier pour la première fois.    ➔ ................................
   **g** ▪ Elles se sont assises.                                ➔ ................................
   **h** ▪ Nous nous sommes vus la semaine dernière.             ➔ ................................

*2) Quel est l'auxiliaire utilisé pour former leur passé composé ?* ................................
*3) Avec quoi s'accorde le participe passé ?* ................................

**⑧ Accord du participe passé.**

*Faites l'accord du participe passé.*

   **1** ▪ Ils se sont levé...... de bonne heure.         **4** ▪ Elle s'est mis...... au travail tout de suite.
   **2** ▪ Elle ne s'est pas maquillé...... ce matin.     **5** ▪ Elles sont descendu...... à la cafétéria.
   **3** ▪ Vous vous êtes tous préparé...... à partir.    **6** ▪ Ils se sont servi...... du fax.

**⑨ La cause et le but.**

*Répondez avec **pour** (but) ou **parce que** (cause).*

   **1** ▪ – Pourquoi est-ce que tu vas à l'aéroport ?
      – ................................

   **2** ▪ – Pourquoi est-ce que tu vas chercher cette personne ?
      – (➔ Sa première visite à Paris.) ................................

   **3** ▪ – Pourquoi est-ce qu'il vient à Paris ?
      – ................................

   **4** ▪ – Pourquoi est-ce qu'il va visiter des parcs et des jardins ?
      – (➔ Faire une étude.) ................................

   **5** ▪ – Pourquoi est-ce qu'il fait cette étude ?
      – ................................
      – Ah, il est paysagiste !

## ⑩ Réponse avec *si*.

*Répondez comme dans l'exemple.*

*Exemple :* Tu n'es pas sortie avec ton amie hier soir ? (Aller au cinéma.)

➯ **Si, nous sommes allées au cinéma.**

**1** ▪ Vous n'êtes pas rentrées tard ? (Rentrer après minuit.)

.......................................................................................................................

**2** ▪ Tu ne vas pas danser ce soir ? (Danser tous les samedis soirs.)

.......................................................................................................................

**3** ▪ Tu ne sors plus avec Michel ? (Mais être en voyage.)

.......................................................................................................................

**4** ▪ Il ne va pas revenir bientôt ? (Dans une semaine.)

.......................................................................................................................

## ⑪ *Oui*, *si* **ou** *non* **?**

*Imaginez ce qu'elle répond.*

**1** ▪ – Dis-donc, tu ne t'es pas réveillée, ce matin ?

– .................................................................................................................

**2** ▪ – Parce que tu n'es pas venue travailler. Tu as eu des problèmes ?

– .................................................................................................................

**3** ▪ – Chercher ta fille, à l'aéroport ? Tu ne m'as rien dit.

– .................................................................................................................

**4** ▪ – Moi, je suis sûre que tu n'as rien dit… Et tu viens travailler demain ?

– .................................................................................................................

**5** ▪ – Bon, alors à demain. Attends… Tu me présentes ta fille, ce soir ?

– .................................................................................................................

– Tant pis. Amusez-vous bien. Salut.

## Écriture

## ⑫ Envoyez un fax.

*Vous devez vous rendre à Paris pour affaires. Vous rédigez un fax pour annoncer votre venue. Vous donnez toutes les indications parce que quelqu'un doit vous attendre à l'aéroport (ou à la gare). Vous vous décrivez : âge, taille, couleur de cheveux, vêtements, heure d'arrivée, numéro du vol…*

.......................................................................................................................

.......................................................................................................................

.......................................................................................................................

.......................................................................................................................

.......................................................................................................................

.......................................................................................................................

.......................................................................................................................

## Vocabulaire

### ① Associez les mots.

*Faites correspondre un élément d'une colonne avec un élément de l'autre colonne.*

| | | | |
|---|---|---|---|
| **1** ▪ Prévenir | | **a** ▪ des plantes. |
| **2** ▪ Savoir | | **b** ▪ où aller. |
| **3** ▪ Prendre | | **c** ▪ dans un parc. |
| **4** ▪ Se trouver | | **d** ▪ quelqu'un. |
| **5** ▪ Connaître | | **e** ▪ des photos. |
| **6** ▪ Réserver | | **f** ▪ dans les allées. |
| **7** ▪ Déranger | | **g** ▪ sur les horaires. |
| **8** ▪ Garder | | **h** ▪ quelqu'un. |
| **9** ▪ Se promener | | **i** ▪ une chambre. |
| **10** ▪ Se renseigner | | **j** ▪ la monnaie. |

### ② Mots croisés.

*Lisez la définition et remplissez la grille.*

**1** ▪ Dans un parc. Il y a de l'eau dedans.

**2** ▪ Très vieux bâtiment à Vincennes près du parc floral.

**3** ▪ C'est une grande surface d'herbe verte dans un parc.

**4** ▪ Arbres et fleurs.

**5** ▪ Entre deux collines ou deux montagnes.

**6** ▪ Une surface destinée à la construction
d'une maison ou à une activité sportive.

**7** ▪ Unité de surface : 10 000 mètres carrés.

**8** ▪ Grande construction. Immeuble d'habitation,
industriel ou commercial.

**9** ▪ Pour marcher dans un parc.

**10** ▪ Pour conserver les plantes exotiques.

### ③ Adverbes en opposition.

*Donnez l'expression opposée.*
*Exemple :* Au commencement de l'allée ≠ **au bout de l'allée**.

**1** ▪ Devant la maison ≠ ...................................................................................

**2** ▪ Sur la table ≠ ...........................................................................................

**3** ▪ À droite de la serre ≠ ...............................................................................

**4** ▪ Du côté gauche du jardin ≠ ......................................................................

**5** ▪ Au-dessous de la porte ≠ ..........................................................................

④ **Présent de** *pouvoir.*

*Utilisez le verbe* **pouvoir** *dans les questions.*

**1** ▪ – ............................................................................................................ ?

– Mais oui, on peut se promener dans ces allées.

**2** ▪ – ............................................................................................................ ?

– Non, sur les pelouses ce n'est pas possible.

**3** ▪ – ............................................................................................................ ?

– Oui, nous pouvons visiter le musée mais pas les serres.

**4** ▪ – ............................................................................................................ ?

– Des photos, si, vous pouvez.

**5** ▪ – ............................................................................................................ ?

– Non, elles ne peuvent pas venir avec leur chien.

⑤ *Savoir* **ou** *connaître* **?**

*Écrivez une légende pour chaque dessin. Utilisez* **connaître** *ou* **savoir** *(ou les deux).*

*Exemple :*

⇨ **Il sait nager.**

1         2         3         4

**1** ▪ .........................................................................................................................

**2** ▪ .........................................................................................................................

**3** ▪ .........................................................................................................................

**4** ▪ .........................................................................................................................

⑥ *Savoir,* *pouvoir* **ou** *connaître* **?**

*Complétez les phrases.*

**1** ▪ Vous ................................ comment on va à ce parc ?

**2** ▪ Vous ................................ le chemin ?

**3** ▪ On ................................ entrer dans les serres ?

**4** ▪ Vous ................................ prévoir une autre visite ?

**5** ▪ Vous ................................ où trouver un petit bistrot ?

**6** ▪ Vous avez ................................ retenir une table ?

> Consultez souvent le mémento grammatical p. 217
> et les tableaux de conjugaison p. 221 de votre manuel.

## ⑦ Futur simple.

*Comparez le petit frère et la grande sœur. Variez les expressions de temps.*
*Exemple :* Elle va à l'université. ➪ **Lui, il ira dans trois ans.**

    **1** ▪ Elle a passé son permis il y a un mois. ...................................................................

    **2** ▪ Elle a une voiture. ...................................................................................................

    **3** ▪ Elle peut sortir seule le soir. ...............................................................................

    **4** ▪ Elle fait de la guitare. ..........................................................................................

## ⑧ Futur simple.

*Mettez les verbes entre parenthèses au futur.*

Ce nouveau parc ne (ressembler) ................................ pas aux autres. Nous (présenter)

................................ des espaces plantés d'espèces différentes. Nous (organiser)

................................ des expositions. Les visiteurs (venir) ................................

admirer des créations nouvelles et ils (pouvoir) ................................ découvrir des

plantes exceptionnelles. Les enfants (avoir) ................................ la possibilité de suivre

des cours de jardinage. Ce parc (être) ................................ ouvert au public au printemps,

mais vous (pouvoir) ................................ voir une maquette dès le mois prochain.

## ⑨ Adjectifs démonstratifs.

*Complétez ces phrases avec des adjectifs démonstratifs et indiquez quel est l'emploi :*
*montrer (1), reprise (2) ou indication de temps (3).*

On a construit ...*ces (1)*... serres ............... année. On peut faire la visite .................

matin si vous voulez. On a vidé ................. bassin, en face de nous, ................. trois

derniers mois, à cause du froid. On a ouvert ................. parc en 1892 et on a planté un

arbre à l'entrée des jardins. ................. arbre est maintenant très grand. On a planté

................. fleurs et installé ................. jets d'eau ................. mois ................. .

## ⑩ Adverbes de temps.

*Répondez de deux façons différentes,*
*utilisez **en** + année ou **il y a... mois, ans.***

    **1** ▪ – Quand est-ce qu'on a ouvert ce parc ? (1892)

       – .........................................................................................................................

    **2** ▪ – Quand est-ce qu'on a construit ces jets d'eau ? (1900)

       – .........................................................................................................................

    **3** ▪ – Quand est-ce qu'on a planté ces fleurs ? (mai)

       – .........................................................................................................................

    **4** ▪ – Quand est-ce qu'on a installé ces serres ? (novembre)

       – .........................................................................................................................

    **5** ▪ – Quand est-ce qu'on a planté l'arbre à l'entrée des jardins ? (1999)

       – .........................................................................................................................

> Est-ce que vous savez faire une hypothèse sur le genre d'un nom ?
> Est-ce que vous savez quel genre les suffixes *-ion, -ment, -age* donnent au nom dérivé d'un verbe ?

## (11) Combien de fois ?

*Faites comme dans l'exemple.*

*Exemple :* Il est déjà venu deux fois. ➪ **C'est la troisième fois qu'il vient.**

**1** ▪ Elle a déjà visité ce musée trois fois.

...............................................................................................................................

**2** ▪ Ils ne se sont jamais rencontrés avant aujourd'hui.

...............................................................................................................................

**3** ▪ J'ai déjà vu ces serres quatre fois.

...............................................................................................................................

**4** ▪ Elles ont déjà visité ce parc l'année dernière.

...............................................................................................................................

**5** ▪ Tu ne reviendras plus ici !

...............................................................................................................................


## Écriture


## (12) Le règlement du parc.

*Sur une feuille séparée, imaginez un règlement de parc.*
*Pensez à ce qu'on ne peut pas faire : marcher sur les pelouses, prendre des fleurs, monter sur les arbres,*
*jouer au ballon… Utilisez **pouvoir, être interdit, être permis** et l'impératif à la forme négative.*


## (13) Écrivez un résumé.

*1) Mettez ces photos dans l'ordre*
*2) Faites des commentaires sur chacune de ces photos.*

◯ **1** ▪ ..........................................................................................................................
◯ **2** ▪ ..........................................................................................................................
◯ **3** ▪ ..........................................................................................................................
◯ **4** ▪ ..........................................................................................................................
◯ **5** ▪ ..........................................................................................................................
◯ **6** ▪ ..........................................................................................................................
◯ **7** ▪ ..........................................................................................................................
◯ **8** ▪ ..........................................................................................................................

*3) Sur une feuille séparée, écrivez un résumé de l'histoire en 60 à 80 mots.*

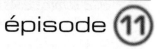

## Vocabulaire

**①  Distinguez les genres.**

*Classez les mots suivants d'après la prononciation et l'orthographe de la dernière syllabe.*

Pain – reine – produit – vente – boulanger – méthode – règle – feu – ami – jeu - objet – baguette – doigt.

Mots masculins : ....................................................................................................

Mots féminins : ....................................................................................................

**②  Masculin, féminin.**

*Trouvez le mot correspondant dans l'autre genre.*
*Exemple :* Roi ⇨ **reine.**

- **1** ▪ Vendeur.  ➜ ...............................
- **2** ▪ Boulangère.  ➜ ...............................
- **3** ▪ Artiste.  ➜ ...............................
- **4** ▪ Créatrice.  ➜ ...............................
- **5** ▪ Animatrice.  ➜ ...............................
- **6** ▪ Spécialiste.  ➜ ...............................
- **7** ▪ Volontaire.  ➜ ...............................
- **8** ▪ Fils.  ➜ ...............................
- **9** ▪ Dentiste.  ➜ ...............................
- **10** ▪ Boucher.  ➜ ...............................
- **11** ▪ Acteur.  ➜ ...............................
- **12** ▪ Remplaçant.  ➜ ...............................

**③  Opposez-les.**

*1) Associez les adjectifs de sens contraire.*

Lent – ennuyeux – difficile – intéressant – rapide – facile – vieux – mince – agréable – gros – jeune – désagréable.

....................................................................................................................

....................................................................................................................

*2) Atténuez les affirmations.*
*Exemple :* Il est gros. ⇨ **Il n'est pas très mince.**

- **a** ▪ C'est difficile. ..........................................................................
- **b** ▪ C'est désagréable. ..........................................................................
- **c** ▪ Elle est vieille. ..........................................................................
- **d** ▪ C'est ennuyeux. ..........................................................................
- **e** ▪ Il est lent dans son travail. ..........................................................................

# Grammaire

**④ Vouloir.**

*Complétez les phrases.*

1 ▪ – Tu ............................... te perfectionner ?

– Oui, je............................... aider mes amis.

2 ▪ – Vous ............................... vous renseigner sur les stages ?

– Oui, je ............................... suivre un stage de vente.

3 ▪ – Elles ............................... se parler ?

– Oui, elles ............................... comparer leurs expériences.

4 ▪ – Vous vous posez des questions à notre sujet ?

– Oui, je ............................... savoir ce qui s'est passé.

**⑤ Vouloir + complément d'objet direct ou infinitif.**

*Exemple :* Pascal – trouver du travail. ⇨ **Il veut trouver du travail**.

1 ▪ Elle – un foulard. ...............................................................................

2 ▪ Vous – téléphoner à vos amis. ...............................................................

3 ▪ Eux – lire le journal. .............................................................................

4 ▪ Toi – une moto. ...................................................................................

**⑥ Vouloir ou pouvoir ?**

*Complétez le dialogue avec **vouloir** ou **pouvoir**.*

1 ▪ Bonjour, Madame. Vous ............................... nous donner des renseignements sur vos cours, s'il vous plaît ?

2 ▪ Qu'est-ce que vous ............................... savoir ?

3 ▪ On ............................... connaître les tarifs et les horaires des cours d'informatique.

4 ▪ Je ............................... vous donner les horaires, mais je ne connais pas encore les tarifs. Vous ............................... revenir dans quelques jours, si vous ............................... .

5 ▪ On ne ............................... pas. On habite en province.

6 ▪ Si vous ........................... laisser votre nom et votre adresse, je vous enverrai les informations.

7 ▪ Je ............................... bien. Merci.

**⑦ Me, te, nous, vous.**

*Complétez la lettre avec des pronoms compléments.*

Chère Aurélie,

Je .................. remercie pour ton petit mot. Bientôt, tu pourras .................. appeler au 06 81 55 76 84. Je .................. félicite pour ta réussite aux examens. Julien doit être content, et il va pouvoir .................. faire entrer dans son agence ! J'espère que son patron lui donnera quelques jours de vacances et que vous viendrez .................. voir à la fin du mois, comme prévu. Tu .................. écris. Moi, je .................. appelle dans quelques jours.

Bises.

## ⑧ Complément d'objet direct + infinitif.

*Exemple :* Suivez le stage.
> ⇨ **Il faut le suivre**.

**1** ▪ Aidez vos amis. → Nous allons ..............................................................................................

**2** ▪ Revoyez les règles. → Nous allons ..........................................................................................

**3** ▪ Appelle Julie. → Je vais .........................................................................................................

**4** ▪ Suis la jeune femme. → Oui, je vais .......................................................................................

**5** ▪ Regardez cette voiture. → Oui, il faut .....................................................................................

## ⑨ Place et accord du COD avec le passé composé.

*Utilisez un pronom complément dans votre réponse.*
*Exemple :* – Julie a trouvé la rue Collette ? ⇨ – **Oui, elle l'a trouvée**.

**1** ▪ – Julie et Pilar ont suivi tous les cours ?

– ...........................................................................................................................................

**2** ▪ – Julie a apporté les modèles ?

– ...........................................................................................................................................

**3** ▪ – Elles ont revu les règles ?

– ...........................................................................................................................................

**4** ▪ – Elles ont appris les obligations du vendeur ?

– ...........................................................................................................................................

**5** ▪ – Le professeur a trouvé des volontaires ?

– ...........................................................................................................................................

## ⑩ *Il faut*, on *doit* + infinitif.

*Dites ce qu'il faut faire ou ne pas faire.*
*Exemple :* Quand il y a des embouteillages…
> ⇨ **Quand il y a des embouteillages, il faut/on doit prendre le métro**.

**1** ▪ Quand on travaille dans un bureau, ......................................................................................

**2** ▪ Quand on cherche une rue dans un quartier inconnu, ...........................................................

**3** ▪ Pour bien vendre des produits, .............................................................................................

**4** ▪ Quand on arrive en retard, ....................................................................................................

**5** ▪ Pour apprendre le français, ..................................................................................................

## ⑪ Sens différents.

*Associez chaque phrase et son sens.*

**1** ▪ Je peux essayer ce collier ?
**2** ▪ Ce meuble, elles peuvent l'acheter.
**3** ▪ Ils veulent partir.
**4** ▪ Elles savent compter.
**5** ▪ Tu peux porter ce meuble ?
**6** ▪ Tu peux montrer cette photo.
**7** ▪ Vous savez enseigner la grammaire ?
**8** ▪ Tu sais nager.

**a** ▪ La simple possibilité.
**b** ▪ La volonté.
**c** ▪ La permission.
**d** ▪ La capacité physique.
**e** ▪ La compétence.

## ⑫ *De* + **adjectif** + **nom pluriel.**

*Complétez les phrases avec un article indéfini.*
*Attention ! L'article indéfini pluriel **des** devient **de** quand le nom est précédé d'un adjectif.*

**1** ▪ Elle fait ................. jolis foulards.

**2** ▪ On trouve ................. beaux modèles.

**3** ▪ Ils exposent ................. objets splendides.

**4** ▪ Les gens achètent ................. vieux objets chez les antiquaires.

**5** ▪ Ils racontent ................. histoires fantastiques.

**6** ▪ Ils font ................. belles créations.

**Écriture**

## ⑬ **Orthographe.**

*Changez oralement la première consonne et retrouvez des mots connus. Attention à l'orthographe du nouveau mot !*
*Exemples :* Frais ⇨ **vrai**.
　　　　　Des ⇨ **tes, thé**.

**1** ▪ Vaut.　　→ ...............................................................................................................

**2** ▪ Fer.　　　→ ...............................................................................................................

**3** ▪ File.　　　→ ...............................................................................................................

**4** ▪ Fou.　　　→ ...............................................................................................................

**5** ▪ Voix.　　→ ...............................................................................................................

**6** ▪ Droit.　　→ ...............................................................................................................

**7** ▪ Toit.　　→ ...............................................................................................................

**8** ▪ Doute.　→ ...............................................................................................................

**9** ▪ Tire.　　→ ...............................................................................................................

## ⑭ **Créez une annonce publicitaire.**

*Imaginez une annonce pour présenter une nouvelle école de langues. Trouvez des arguments (compétence des professeurs, conseils et suivi pédagogique personnalisés, emploi de nouvelles technologies...)*

...............................................................................................................................

...............................................................................................................................

...............................................................................................................................

...............................................................................................................................

...............................................................................................................................

...............................................................................................................................

...............................................................................................................................

> Essayez de vous évaluer.
> Essayez de reproduire de mémoire des scènes du feuilleton et faites des variations.

## Vocabulaire

**① Une boutique de mode.**

*Complétez le texte avec les mots suivants :* **articles – plaisent – colliers – fournisseurs –
un coup d'œil – accessoires – vitrine – boucles d'oreilles – objets.**

Cette patronne de boutique d' ............................... de mode a très bon goût. Elle a de

bons ............................... et choisit très bien ses ............................... . Elle met en

............................... de jolis ............................... . Les gens s'arrêtent souvent pour

jeter ............................... . Les ............................... et les ...............................

ont un style jeune et original. Ils ............................... à la clientèle.

**② Quel est le genre de ces noms ?**

*Dites si ces noms sont masculin (M) ou féminin (F).*

  ◯ **1** ▪ Vitrine.     ◯ **6** ▪ Boucle.     ◯ **11** ▪ Collier.

  ◯ **2** ▪ Fournisseur.     ◯ **7** ▪ Merveille.     ◯ **12** ▪ Plaisir.

  ◯ **3** ▪ Boutique.     ◯ **8** ▪ Objet.     ◯ **13** ▪ Centaine.

  ◯ **4** ▪ Goût.     ◯ **9** ▪ Vacances.     ◯ **14** ▪ Boucherie.

  ◯ **5** ▪ Parfumerie.     ◯ **10** ▪ Chose.     ◯ **15** ▪ Coin.

*Quelles règles appliquez-vous ?*

📎 **Accessoire, article, modèle, style, mètre** sont du masculin et **raison** est du féminin.

**③ Chassez l'intrus.**

*Dites pourquoi un des mots ne va pas avec les autres.*

  **1** ▪ Sur – au sujet de – à propos de – au coin de. ...............................................................

  **2** ▪ Boucherie – boulangerie – parfumerie – épicerie. ...............................................................

  **3** ▪ Plaire à – aller bien à – déplaire à – expliquer à. ...............................................................

  **4** ▪ Accessoire – coup d'œil – collier – boucle d'oreille. ...............................................................

**④ Trouvez le verbe correspondant.**

  **1** ▪ Correspondance.   ➔ ...............................

  **2** ▪ Déménagement.   ➔ ...............................

  **3** ▪ Intérêt.   ➔ ...............................

  **4** ▪ Plaisir.   ➔ ...............................

  **5** ▪ Fournisseur.   ➔ ...............................

  **6** ▪ Garage.   ➔ ...............................

  **7** ▪ Parfumerie.   ➔ ...............................

  **8** ▪ Tour.   ➔ ...............................

# Grammaire

## ⑤ Complément d'objet indirect.

*Exemple :* – Expliquez-moi ce problème.
   ⇨ **– Oui, je vais vous expliquer ce problème**.

**1** ▪ – Donnez-leur cette adresse.

   – ................................................................................................................

**2** ▪ – Montrez-moi ces modèles.

   – ................................................................................................................

**3** ▪ – Envoyez-leur ces brochures.

   – ................................................................................................................

**4** ▪ – Achetez-lui ces boucles d'oreilles.

   – ................................................................................................................

**5** ▪ – Montrez-nous cet ordinateur.

   – ................................................................................................................


## ⑥ Complément d'objet indirect.

*Complétez le dialogue entre le créateur des objets et la représentante.*

**1** ▪ Vous avez montré nos nouveaux modèles aux Magasins réunis ?

**2** ▪ Oui, je ................. ai montré.

**3** ▪ Et ils ont plu aux employés ?

**4** ▪ Oui, ils ................. ont beaucoup plu.

**5** ▪ Et vous avez parlé au directeur ?

**6** ▪ Oui, j'ai pu ................. parler.

**7** ▪ Il ................. a téléphoné depuis ?

**8** ▪ Non, pas encore.

**9** ▪ Et vous pensez qu'il va ................. passer une commande ?

**10** ▪ Il ................. a paru vraiment intéressé.


## ⑦ Compléments d'objet direct et indirect.

*Complétez ce texte avec des compléments d'objet direct et indirect.*

C'est bientôt Noël et le temps des cadeaux pour la famille et les amis.

Vous pensez à ................. et à ce qui ................. fera plaisir, à ce que

vous pourrez ................. acheter pour ................. faire une surprise.

Mais n'attendez pas trop.

Nous ................. conseillons de commencer à chercher vos cadeaux dès le mois de

septembre. Je ................. donne un truc. Commencez par vos boutiques préférées.

Vous ................. connaissez bien, la vendeuse ................. donne son opinion sur les

objets et vous pourrez ................. échanger s'il y a un problème. Faites une liste avec le nom

des personnes et les cadeaux déjà achetés. Un dernier conseil : ne ................. oubliez pas !

**⑧ Quelqu'un ≠ ne... personne, quelque chose ≠ ne... rien.**

*Exemples :* Vous cherchez quelque chose ?
  ⇨ **Non, je ne cherche rien.**
  Vous avez envoyé quelque chose ?
  ⇨ **Non, je n'ai rien envoyé.**

**1** ▪ – Vous voulez quelque chose ? – ..................................................................................................

**2** ▪ – Vous avez vu quelqu'un ? – ....................................................................................................

**3** ▪ – Vous avez acheté quelque chose ? – ....................................................................................

**4** ▪ – Vous voulez voir quelqu'un ? – .............................................................................................

**5** ▪ – Vous avez quelque chose à me montrer ? – ........................................................................

**⑨ Prépositions de lieu.**

*Regardez le dessin et complétez les phrases avec des prépositions.*

*Exemple :* La mairie est ... la place.
  ⇨ **La mairie est sur la place.**

**1** ▪ .............................. la mairie, il y a un parc.

**2** ▪ .............................. la mairie, se trouve un arrêt d'autobus.

**3** ▪ .............................. la mairie, il y a la poste.

**4** ▪ Le parking est .............................. la poste.

**5** ▪ Le supermarché est .............................. la boulangerie.

**6** ▪ La boulangerie est .............................. le supermarché et l'épicerie.

**7** ▪ .............................. la rue Centrale, se trouve la banque.

**8** ▪ Le café est .............................. de la rue Centrale et de la rue Nationale.

**⑩ Je pense, je crois que...**

*Exemple :* Ces modèles plaisent à Mme Dutertre.
  ⇨ **Julie pense/croit que ces modèles peuvent lui plaire.**

**1** ▪ Ce collier va bien à la cliente.

  La patronne ...........................................................................................................................................

**2** ▪ Ces objets font plaisir aux visiteurs.

  Les artistes ...........................................................................................................................................

**3** ▪ Cette nouvelle collection intéresse la patronne.

  Je ............................................................................................................................................................

**4** ▪ Ces articles en vitrine attirent l'attention des passants.

  Vous .................................................................................................................................................. ?

**5** ▪ La patronne trouve ces créations à son goût.

  Nous .......................................................................................................................................................

**Un parmi d'autres.**

*Exemple :* Nous avons des articles en vitrine.
➡ **Voilà un de nos articles.**

**1** ▪ Nous avons beaucoup d'amis. ...........................................................................................................

**2** ▪ Vous avez trois vendeuses dans votre magasin. ................................................................................

**3** ▪ Il crée de beaux objets. ...........................................................................................................

**4** ▪ Ils ont plusieurs fournisseurs. ...........................................................................................................

**5** ▪ Elle décore des foulards. ...........................................................................................................


## Écriture


⑫ **Orthographe et prononciation.**

*1) Soulignez les voyelles moyennes ouvertes :* [ɔ], [ɛ], [ø].

**a** ▪ Trop.

**f** ▪ Jeune.

**b** ▪ Patronne.

**g** ▪ Feu.

**c** ▪ À propos.

**h** ▪ Méthode.

**d** ▪ Modèle.

**i** ▪ Regle.

**e** ▪ Pièce.

**j** ▪ Poste.

*2) Mettez les accents, aigus (´) ou graves (`) sur les e si nécessaire.*

**a** ▪ Interesser.

**f** ▪ Achete.

**b** ▪ Accessoires.

**g** ▪ Regle.

**c** ▪ Methode.

**h** ▪ Verre.

**d** ▪ Appelle.

**i** ▪ Baguette.

**e** ▪ Appeler.

**j** ▪ Telephone.


⑬ **Résumez l'épisode.**

*Mettez les phrases ci-dessous dans le bon ordre. À partir de ces phrases, écrivez un résumé de l'épisode sur une feuille séparée.*

◯ **a** ▪ Une cliente veut acheter des boucles d'oreilles.

◯ **b** ▪ La patronne du magasin est en vacances et Julie laisse quelques modèles à la vendeuse.

◯ **c** ▪ Julie cherche la parfumerie Le bain bleu. On lui indique le chemin.

◯ **d** ▪ Julie demande à voir la patronne.

◯ **e** ▪ Julie est contente parce qu'elle est sûre que la patronne va accepter de vendre ses modèles.

◯ **f** ▪ Julie présente ses modèles à la patronne.

---

Vous pouvez deviner le sens des mots nouveaux grâce :
– à l'illustration (si elle existe) ;
– au contexte ;
– à la logique de la situation.
Utilisez un dictionnaire pour vérifier vos hypothèses.

---

## Vocabulaire

### ① Les métiers de la table.

*1) Trouvez le nom de la profession correspondant au nom du magasin.*

    **a** ▪ Épicerie.   → ...............................    **d** ▪ Boulangerie.  → ...............................

    **b** ▪ Boucherie.   → ...............................    **e** ▪ Pâtisserie.    → ...............................

    **c** ▪ Poissonnerie. → ...............................

*2) Quel est le genre de ces noms de magasins ?* ...........................................................................

*Qu'est-ce qui vous permet de le savoir ?* ...........................................................................

*3) Quel est le féminin de ces noms de profession ?* ...........................................................................

### ② Classez les plats.

*Classez les plats suivants dans le tableau.*

camembert – entrecôte – riz – salade aux noix – frites – poulet basquaise – saumon –

salade de tomates – pâtes – glace – pommes de terre sautées – tarte au citron –

œufs mayonnaise – yaourt – steak – gâteau au chocolat.

| Entrée | Plat principal | Légume | Fromage | Dessert |
|--------|---------------|--------|---------|---------|
| ......... | ......... | ......... | ......... | ......... |
| ......... | ......... | ......... | ......... | ......... |
| ......... | ......... | ......... | ......... | ......... |
| ......... | ......... | ......... | ......... | ......... |

### ③ Mots croisés.

*Lisez les définitions et remplissez la grille.*

    **1** ▪ Il prépare les plats.

    **2** ▪ Il accompagne la viande.

    **3** ▪ Morceau de viande de bœuf.

    **4** ▪ On le donne au serveur à la fin du repas.

    **5** ▪ Sert à choisir les plats.

    **6** ▪ Il sert à table.

    **7** ▪ On le choisit dans le menu.

    **8** ▪ Sorte de fromage.

    **9** ▪ Les Français en mangent beaucoup.

   **10** ▪ Elle peut être plate ou gazeuse.

   **11** ▪ On en prend à la fin du repas.

④ **Où allez vous ?**

*Exemple :* Pour acheter des gâteaux, **je vais chez un pâtissier. Je vais dans une pâtisserie.**

**1** ▪ Pour acheter du pain, .........................................................................................................

**2** ▪ Pour acheter de la viande, .................................................................................................

**3** ▪ Pour acheter des légumes et des fruits, ...........................................................................

**4** ▪ Pour acheter du poisson, ...................................................................................................

## Grammaire

⑤ **Un autre, d'autres.**

*Exemples :* – Vous n'avez pas fini votre bouteille ? ⇨ **– Si, et nous en prenons une autre.**
             – Vous n'avez pas terminé vos fruits ? ⇨ **– Si, et nous en voulons d'autres.**

**1** ▪ – Vous n'avez pas terminé votre plat de viande ? – ...........................................................

**2** ▪ – Vous n'avez pas mangé vos légumes ? – ........................................................................

**3** ▪ – Vous n'aimez pas ce fromage ? – ...................................................................................

**4** ▪ – Vous n'avez pas fini vos desserts ? – .............................................................................

**5** ▪ – Vous n'avez pas bu votre café ? – ..................................................................................

⑥ **Articles.**

*Complétez avec des articles.*

Le matin, au petit déjeuner, ma femme boit ................. thé. Moi, j'aime .................
café au lait. Elle prend ................. croissants. Moi, je prends ................. pain avec
................. beurre. Au déjeuner, c'est la même chose. Elle n'aime pas ................. poisson
et elle prend toujours ................. la viande. Moi, je prends surtout ................. poisson et
................. œufs. Elle adore tous ................. desserts. Moi, je ne mange que
................. fruits. Elle ne boit que ................. l'eau et moi que ................. cidre.
Le soir, par contre, nous mangeons la même chose, un repas léger : un peu .................
soupe, un ou deux morceaux ................. fromage, ................. fruit, c'est tout.

⑦ **Trouvez la question.**

*Utilisez **vouloir, prendre, offrir** ou **servir** dans la question.*
*Exemple :* – Non, merci, je n'aime pas le poisson. ⇨ **– Je vous sers du poisson ?**

**1** ▪ – ...................................................................................................................................... ?
        – Non, je ne prendrai pas de viande. Je vais manger des pâtes.

**2** ▪ – ...................................................................................................................................... ?
        – Oui, j'en prendrai avec plaisir.

**3** ▪ – ...................................................................................................................................... ?
        – Non, merci, je ne bois jamais de vin.

**4** ▪ – ...................................................................................................................................... ?
        – Si tu veux, mais je préfère le fromage de chèvre.

## ⑧ Combien est-ce que vous en prenez ?

*Répondez comme dans l'exemple.*

*Exemple :* – Combien de viande est-ce que vous prenez aujourd'hui ?

⇨ **– Je n'en prends pas. – Mais si, prenez-en !**

**1** ▪ – Combien de poisson est-ce que vous mangez chaque semaine ?

– ......................................................................................................................................

**2** ▪ – Combien de pain est-ce que tu manges ?

– ......................................................................................................................................

**3** ▪ – Combien de légumes est-ce que vous prenez à chaque repas ?

– ......................................................................................................................................

**4** ▪ – Combien de gâteaux est-ce que tu achètes ?

– ......................................................................................................................................

**5** ▪ – Combien de litres d'eau est-ce que tu bois par semaine ?

– ......................................................................................................................................

## ⑨ Adverbes de fréquence.

*Dites combien de fois vous en mangez. Écrivez une phrase par aliment.*

*Exemples :* Du café. ⇨ **J'en prends deux fois par jour.**

Des légumes. ⇨ **J'en mange à chaque repas.**

**1** ▪ Du pain. ............................................................................................................................

**2** ▪ Du riz. ..............................................................................................................................

**3** ▪ Du fromage. ......................................................................................................................

**4** ▪ De la viande. .....................................................................................................................

**5** ▪ Du poisson. .......................................................................................................................

**6** ▪ Des fruits. .........................................................................................................................

**7** ▪ Du lait. .............................................................................................................................

**8** ▪ Des pâtes. .........................................................................................................................

**9** ▪ Des pommes de terre. ........................................................................................................

**10** ▪ Du dessert. ......................................................................................................................

## ⑩ Article partitif et article défini.

*Comme dans l'exemple, faites des phrases avec les mots proposés.*

*Utilisez des verbes comme **prendre, acheter, manger, goûter**…*

*Exemple :* Poisson. ⇨ **– Voilà du beau poisson. – Tu aimes le poisson ? – Oui, alors achètes-en.**

**1** ▪ Viande. ............................................................................................................................

............................................................................................................................................

**2** ▪ Légumes. ..........................................................................................................................

............................................................................................................................................

**3** ▪ Salade. .............................................................................................................................

............................................................................................................................................

**4** ▪ Poulet. ..............................................................................................................................

............................................................................................................................................

**5** ▪ Fruits. ...............................................................................................................................

............................................................................................................................................

## ⑪ Articles.

*Complétez le dialogue avec des articles.*

LA SERVEUSE : Tenez, voilà ................ carte Qu'est-ce que vous prenez aujourd'hui ?

PATRICIA : Hier, j'ai pris ................ viande. Je vais prendre ................ poisson

aujourd'hui. Quel est ................ poisson ................ jour ?

LA SERVEUSE : C'est ................ saumon grillé avec ................ pommes de terre

vapeur.

PATRICIA : Ça me va. Donnez-moi aussi ................ salade de tomates pour commencer.

LA SERVEUSE : Et vous, Monsieur ?

LAURENT : Pour moi, ................ œufs mayonnaise et ................ steak.

LA SERVEUSE : Avec ................ frites ?

LAURENT : Non, avec ................ haricots verts.

LA SERVEUSE : Bon, alors, ................ salade de tomates et ................ œufs

mayonnaise, ................ saumon avec ................ pommes vapeur

et ................ steak-haricots verts. Et qu'est-ce que vous voulez comme boissons ?

LAURENT : Vous avez ................ eau gazeuse ?

PATRICIA : Non, pour moi, pas d'eau gazeuse. Je préfère ................ eau plate.

LAURENT : Alors, ................ bouteille d'eau minérale plate.

LA SERVEUSE : D'accord. Je vous apporte ça tout de suite.

# Écriture

## ⑫ Orthographe.

*Complétez les mots. Attention à l'orthographe des voyelles nasales.*

**1** ▪ – Vous ne m......gez pas de p...... ? – N......, nous n'...... m......ge......s jamais.

**2** ▪ – Tu pr......ds de la vi......de ? – N......, je pr......ds du poiss...... .

**3** ▪ – Garç......, le fromage est c......pris d......s le menu ?

– N......, M......sieur, il est ...... supplém......t.

**4** ▪ Tu ...... comm......des une autre. Mais il l'a à moitié m......gée, s...... ......trecôte !

## ⑬ Habitudes alimentaires.

*Sur une feuille séparée, vous écrivez à un correspondant francophone.*
*Vous lui dites ce que vous mangez habituellement et vous présentez un menu type*
*de chez vous. Si vous ne connaissez pas la traduction des plats, laissez le nom dans*
*votre langue mais décrivez-les.*

Essayez de parler à des francophones.

# Faisons le marché ...............

épisode **14**

## Vocabulaire

**①** **Déterminez le genre des noms.**

*Observez le tableau d'aliments de votre manuel, page 115, et trouvez les quatre noms qui ne suivent pas les règles ci-dessus. Écrivez-les. Faites-les précéder d'un article.*

.................................................................................................................................

> **Rappel des indices de détermination du genre des noms**
> **1** ▪ Terminaisons en **son de voyelle** ⇨ masculin :
>   *Pain, poisson, menu, client, bouchon, goût, supplément.*
> **2** ▪ Terminaisons en **son de consonne** ⇨ féminin :
>   *Viande, entrecôte, orange, carotte, tomate, salade, pâtes.*
> **3** ▪ Terminaisons en sons **i, u, ou** :
>   ⇨ finale écrite en e : féminin : *Italie, rue, roue.*
>   ⇨ finale écrite autre que e : masculin : *Chili, riz, but, bout, chou.*
> **4** ▪ Terminaisons en son de consonne et pas de **e** final écrit ⇨ masculin :
>   *Maroc, sac, sel, noir, œuf, bœuf, yaourt, dessert.*
> **5** ▪ Noms composés : la terminaison indique souvent le genre. Par exemple :
>   ⇨ **-age**, **-ment** : masculin ;
>   ⇨ **-ion**, **-té** : féminin.

**②** **C'est bon pour la santé !**

*Associez les mots suivants.*

| | | | |
|---|---|---|---|
| **1** ▪ Produits | **a** ▪ écrémé. |
| **2** ▪ Crème | **b** ▪ sans alcool. |
| **3** ▪ Lait | **c** ▪ bio. |
| **4** ▪ Bière | **d** ▪ allégée. |
| **5** ▪ Yaourt | **e** ▪ sans colorant. |

**③** **Précisez les quantités.**

*Choisissez une des expressions.*

une boîte   une bouteille   une plaquette   un paquet   un pot

| | | | |
|---|---|---|---|
| **1** ▪ Un paquet | ○ de café. | ○ de beurre. | ○ de légumes. |
| **2** ▪ Un pot | ○ de pain. | ○ d'eau minérale. | ○ de crème. |
| **3** ▪ Une bouteille | ○ de fruits. | ○ de vin. | ○ de chocolat. |
| **4** ▪ Une plaquette | ○ de lait. | ○ de yaourt. | ○ de beurre. |
| **5** ▪ Une boîte | ○ de haricots. | ○ de pain. | ○ de crème. |

> *Observez bien les gestes et les comportements des personnages.*
> *Essayez de reproduire les intonations et les gestes.*

# Grammaire

## ④ Partitifs.

*Répondez comme dans l'exemple.*
*Exemple : – Tu veux de la bière ? ⇨ – **Non, je n'en bois pas. Donne-moi de l'eau.***

**1** ▪ – Tiens, voilà de l'eau plate. – ......................................................................................

**2** ▪ – Il reste des légumes. Tu en reprends ? – ..................................................................

**3** ▪ – Du poisson, ça te va ? – ..............................................................................................

**4** ▪ – Tu prends du fromage ? – ..........................................................................................

**5** ▪ – Tu veux du dessert ? – ..............................................................................................

## ⑤ Expressions de quantité.

*Trouvez la question.*

**1** ▪ – .............................................................................................................................. ?

– Non, merci, je ne veux pas de fromage aujourd'hui.

**2** ▪ – .............................................................................................................................. ?

– Non, pas de cidre. De l'eau, s'il vous plaît.

**3** ▪ – .............................................................................................................................. ?

– Je vous en apporte une bouteille tout de suite.

**4** ▪ – .............................................................................................................................. ?

– Non, nous n'avons pas de poisson aujourd'hui.

**5** ▪ – .............................................................................................................................. ?

– Oui, il y en a au menu.

## ⑥ Négation de la quantité.

*Exemple : – Du Coca-Cola pour Madame ? ⇨ – **Non, merci, je ne bois pas de Coca-Cola.***

**1** ▪ – Vous voulez du poisson ? – ......................................................................................

**2** ▪ – De la viande, alors ? – ..............................................................................................

**3** ▪ – Eh bien, prenez des légumes. – ................................................................................

**4** ▪ – Vous désirez du fromage ? – ....................................................................................

**5** ▪ – Passons au dessert alors. – ......................................................................................

## ⑦ *Pas de ≠ pas du.*

*M. Legendre va faire les courses au marché. Il demande à sa femme ce qu'il doit acheter.*
*Complétez le dialogue.*

**1** ▪ Qu'est-ce que je prends ? ................. bœuf ?

**2** ▪ Non, ne prends pas ................. bœuf, prends ................. veau pour faire une blanquette.

**3** ▪ Et comme fromage, qu'est-ce que j'achète ? ................. camembert ?

**4** ▪ Non, n'achète pas ................. camembert. On en a encore. Achète ................. gruyère.

**5** ▪ Je prends ................. huile aussi ?

**6** ▪ Non, pas ................. huile, ................. beurre.

**7** ▪ D'accord.

## ⑧ Prix au poids et à la quantité.

*Créez des affiches comme dans l'exemple.*
*Exemple :* Un œuf coûte un franc.
Faites une étiquette pour une douzaine d'œufs. ⇨

| ŒUFS |
|---|
| 1,80 € / la douzaine |

**1** ▪ Trois litres d'huile
valent 5 euros.
Faites une étiquette pour un litre. →

**2** ▪ Le café vaut 12 euros le kilo.
Indiquez le prix d'un paquet
de 250 grammes. →

**3** ▪ On a dix kilos de pommes de terre
pour 9 euros.
Écrivez le prix au kilo. →

**4** ▪ L'eau minérale vaut 3 euros
le paquet de six.
Donnez le prix d'une bouteille. →

## ⑨ Quantificateurs.

*Lisez et complétez la liste des courses. Utilisez **un peu, beaucoup, assez, paquet, litre, kilo...***

**1** ▪ Je vais faire les courses. Qu'est-ce qu'il nous faut ?

**2** ▪ Prends ................. de café et ................. d'huile. Il n'y a plus ................. de beurre. Prends-en ................. .

**3** ▪ Il faut du pain.

**4** ▪ Il en reste un peu mais pas ................. . Prends une baguette.

**5** ▪ J'achète quelques fruits ?

**6** ▪ Oui, achète ................. oranges et un ................. de pommes.

**7** ▪ Il y a ................. de légumes ?

**8** ▪ Oui, il en reste un ................. . Tu rapporteras des carottes, des pommes de terre et des poireaux. Un ................. de chaque.

**9** ▪ D'accord. À tout à l'heure.

## ⑩ Quantificateurs indéfinis.

*Complétez le dialogue.*

**1** ▪ Vous reprendrez bien un ................. viande ?

**2** ▪ Non merci. Je ne mange pas ................. viande, le soir.

**3** ▪ ................. légumes, alors ?

**4** ▪ Je veux bien un ................. légumes, oui, s'il vous plaît.

**5** ▪ Vous ne mangez pas ................. fromage, je crois ?

**6** ▪ Non.

**7** ▪ Vous ne mangez pas ................. à votre âge !

**8** ▪ Mais si. Et puis, j'aime les desserts.

**9** ▪ Alors, vous aurez un gros ................. tarte aux pommes !

# Écriture

## ⑪ Orthographe.

*Écrivez la 1ʳᵉ personne du singulier et du pluriel des verbes suivants.*

**1** ▪ Acheter, épeler : ...................................................................................................................

**2** ▪ Appeler, jeter : ...................................................................................................................

**3** ▪ Payer, envoyer : ...................................................................................................................

## ⑫ Présentez un restaurant de votre ville.

*Inspirez-vous de la présentation de ces deux restaurants pour écrire un texte sur un restaurant de votre choix.*

---

**La Marée**
35, rue Ménilmontant
75020 Paris

Amateurs de poisson, n'oubliez pas cette adresse ! Vous aimerez le saumon aux pâtes fraîches, les poissons du jour au grill, accompagnés de riz au beurre blanc. Les plateaux de fruits de mer sont toujours frais. Les parts sont bien servies, mais gardez une place pour les desserts. Vous serez séduits par les spécialités au chocolat d'un jeune chef de talent, Christian Marin : chocolat blanc, au lait ou noir, en gâteau, en tarte ou en mousse. Un dessert excellent ! Le tout dans un joli décor bleu et blanc. Accueil très agréable de Nadine Marin et addition tout à fait raisonnable.

Menus : 18 € (déjeuner), 27 € .
Carte : 33 € .
14/20

---

**Les parents terribles**
156, bld Richard-Lenoir
75011 Paris

Côté nouveauté, une adresse jeune et sympathique dans ce quartier à la mode. Cuisine légère, mais originale : flan de légumes, mousse de poisson, émincés de volaille ou de bœuf, crème d'oranges ou de fruits rouges. Le patron et cuisinier, Éric Levasseur, connaît son métier et sait nous surprendre. Seul petit problème, l'addition est un peu élevée pour la quantité servie, mais la qualité est, il est vrai, irréprochable.

Menus : 28 € , 33 € , 43 € .
Carte : entre 46 et 53 € .
12/20

---

..............................................................................................................................................

..............................................................................................................................................

..............................................................................................................................................

..............................................................................................................................................

..............................................................................................................................................

..............................................................................................................................................

..............................................................................................................................................

..............................................................................................................................................

## ⑬ Écrivez un résumé.

*Écrivez, de mémoire, un résumé des deux épisodes précédents.*

..............................................................................................................................................

..............................................................................................................................................

..............................................................................................................................................

..............................................................................................................................................

..............................................................................................................................................

..............................................................................................................................................

..............................................................................................................................................

..............................................................................................................................................

# On déménage ....................

## Vocabulaire

### ① Que savez-vous de l'entreprise ?

*Créez un réseau autour de la notion d'entreprise de services sur une feuille séparée.*

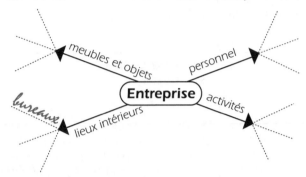

meubles et objets — personnel

**Entreprise** — activités

bureaux — lieux intérieurs

### ② Chassez l'intrus.

*Dites pourquoi un des mots ne va pas avec les autres.*

**1** ▪ Lampe – armoire – fauteuil – plante.

.........................................................................................

**2** ▪ Déménager – ranger – exagérer – installer.

.........................................................................................

**3** ▪ Rez-de-chaussée – étage – répartition – couloir.

.........................................................................................

**4** ▪ Mettre – emprunter – poser – placer.

.........................................................................................

### ③ On peut mourir de bien des manières !

*Écrivez une légende sous chaque dessin. On peut mourir de rire, de chaud, de froid, de peur.*

| je **meurs** |
| tu **meurs** |
| il/elle **meurt** |
| nous **mourons** |
| vous **mourez** |
| ils/elles **meurent** |

1          2          3          4

**1** ▪ .........................................................................................

**2** ▪ .........................................................................................

**3** ▪ .........................................................................................

**4** ▪ .........................................................................................

## Grammaire

**④ *Y* et *en* adverbes de lieu.**

*Répondez affirmativement ou négativement. Remplacez le complément de lieu souligné par un adverbe de lieu.*

**1 ▪** – Benoît vient du bureau de Nicole ? – ........................................................................

**2 ▪** – Benoît et ses collègues montent au sixième ? – ..........................................................

**3 ▪** – Nicole range ses dossiers dans son armoire ? – ..........................................................

**4 ▪** – Benoît retourne à son bureau ? – ...............................................................................

**5 ▪** – Ils descendent tous du sixième étage ? – ....................................................................

**⑤ La négation *ne... plus.***

*Vous n'avez plus de nouvelles de vos amis. Téléphonez à un ami commun.*
*Faites des réponses négatives avec **ne... plus**. Utilisez **y**.*

**1 ▪** – Elle habite toujours à Paris ?

– ....................................................................................................................................

**2 ▪** – Son mari et elle s'intéressent toujours aux jardins ?

– ....................................................................................................................................

**3 ▪** – Lui, il travaille encore dans la même société ?

– ....................................................................................................................................

**4 ▪** – Ils pensent toujours partir à l'étranger ?

– ....................................................................................................................................

**5 ▪** – Est-ce qu'ils vont toujours dans leur maison de campagne ?

– ....................................................................................................................................

**6 ▪** – Est-ce que leur fille vit encore chez eux ?

– ....................................................................................................................................

**⑥ *Y* devant infinitif.**

*Exemple :* L'armoire est trop petite. (Tous ses dossiers – ranger.)
⇨ **Elle ne pourra jamais y ranger ses dossiers.**

**1 ▪** La voiture est trop petite. (Toute la famille – monter.)

....................................................................................................................................

**2 ▪** L'appartement est trop petit. (Tous les meubles – installer.)

....................................................................................................................................

**3 ▪** Ce salon est trop petit. (Tous les invités – faire entrer.)

....................................................................................................................................

**4 ▪** L'atelier est trop petit. (Tous les artistes – travailler.)

....................................................................................................................................

**5 ▪** La salle de concert est trop petite. (Tous les spectateurs – s'asseoir.)

....................................................................................................................................

Avant d'aborder un texte ou un dialogue, essayez de définir la situation de communication.

## ⑦ Les fonctions de *en*.

*Utilisez **en** dans vos réponses et dites de quelle fonction de **en** il s'agit : pronom **(COI)**, pronom équivalent à **de** + quantité **(Q)** ou adverbe de lieu **(L)**.*
*Exemple : Elle se plaint de son bureau ?*
> ⇨ **Oui, elle s'en plaint (COI).**

**1** ▪ – Ils reviennent de vacances ? – ......................................................................................

**2** ▪ – Tu t'occuperas de mon ordinateur ? – ...................................................................

**3** ▪ – Vous venez de son bureau ? – ............................................................................

**4** ▪ – Elle veut des dossiers ? – ..................................................................................

**5** ▪ – Tu prendras des disquettes dans mon armoire ? – ...........................................

**6** ▪ – Il veut changer d'emploi ? – .............................................................................

## ⑧ *En,* y ou *leur* ?

*Remplacez les expressions soulignées par **en**, **y** ou **leur** dans la réponse.*
*Un chasseur de tête interviewe Benoît.*

**1** ▪ – Vous travaillez depuis longtemps <u>dans cette agence</u> ?
    – *Oui,* ............................................................................................................

**2** ▪ – Vous vous occupez <u>de la vente des billets</u> ?
    – ...................................................................................................................

**3** ▪ – Et vous organisez <u>des voyages de groupes</u> ?
    – ...................................................................................................................

**4** ▪ – Vous envoyez des brochures publicitaires <u>à vos clients</u> ?
    – ...................................................................................................................

**5** ▪ – Vous vous sentez bien <u>dans cette agence</u> ?
    – *Non,* ...........................................................................................................

**6** ▪ – Vous pensez <u>à un poste dans une autre entreprise</u> ?
    – ...................................................................................................................

**7** ▪ – Vous connaissez <u>d'autres agences</u> ?
    – ...................................................................................................................

## ⑨ *Rien... ne, personne... ne.*

*Une entreprise pas comme les autres ! Rien ne va plus !*
*Répondez aux questions en employant **personne** et **rien** comme sujets des phrases.*

**1** ▪ – Qui s'intéresse à l'organisation ?
    – ...................................................................................................................

**2** ▪ – Quelqu'un s'occupe de la publicité ?
    – ...................................................................................................................

**3** ▪ – Quelqu'un paie les salariés ?
    – ...................................................................................................................

**4** ▪ – Les employés s'intéressent à quelque chose ?
    – ...................................................................................................................

**5** ▪ – Le patron ne s'étonne pas de ce curieux fonctionnement ?
    – ...................................................................................................................

**⑩ Personne d'autre, rien d'autre.**

*Exemples :* Voilà mon blouson. Tu veux autre chose ? ⇨ **Je ne veux rien d'autre.**
Tu n'as parlé qu'au gardien ? ⇨ **Je n'ai parlé à personne d'autre.**

**1** ▪ – Tenez, prenez ces dossiers. Vous avez besoin d'autre chose ?

– ......................................................................................................

**2** ▪ – Donne-lui la cafetière. Elle veut autre chose ?

– ......................................................................................................

**3** ▪ – Vous n'avez téléphoné qu'à vos parents ?

– ......................................................................................................

**4** ▪ – Vous n'avez discuté du projet qu'avec vos amis ?

– ......................................................................................................

**5** ▪ – Voilà des livres. Vous voulez autre chose ?

– ......................................................................................................


## Écriture


**⑪ Orthographe et prononciation.**

*1) Soulignez les liaisons interdites.*

**1** ▪ Voilà une opinion intéressante.

**2** ▪ Vous allez rencontrer un informaticien irlandais.

**3** ▪ Ce sont des médecins allemands.

**4** ▪ Venez voir nos voisins italiens.

**5** ▪ Alex est un garçon efficace.

*2) Complétez avec **ces, ses, s'est** ou **c'est**.*

**1** ▪ ...... jours-ci, il ...... levé tôt.

**2** ▪ Il ...... disputé avec ...... collègues.

**3** ▪ ...... à cause de ...... changements de bureau.

**4** ▪ Il ...... retrouvé dans un petit bureau sans ...... dossiers.

**5** ▪ ...... parce que ...... collègues ont perdu ...... dossiers.

**⑫ Rédigez une demande d'emploi.**

*Lisez les demandes d'emplois ci-dessous et rédigez-en deux différentes sur une feuille séparée.*

| | |
|---|---|
| Jeune femme, secrétaire commerciale, expérimentée export, trilingue allemand-italien, bonnes notions de comptabilité, compétence informatique, autonome et dynamique, cherche emploi à temps complet. **Tél. : 01 47 78 23 12.** | Homme 41 ans, cadre relations humaines, 12 ans d'expérience du personnel, responsable formation dans multinationales, bonne connaissance de l'anglais, cherche poste équivalent. **Téléphoner le soir au 01 49 93 75 36.** |

Écoutez des chansons en français.
Est-ce que vous pouvez capter TV5 ?

## Vocabulaire

### ① Jeu des sept erreurs.

*Examinez les deux dessins. Décrivez la place des objets dans le premier dessin et dites ce qu'on a changé de place dans le deuxième.*

...................................................................................................................................................
...................................................................................................................................................
...................................................................................................................................................
...................................................................................................................................................
...................................................................................................................................................
...................................................................................................................................................

### ② Associez les contraires.

| | | | |
|---|---|---|---|
| **1** ▪ Clair | | **a** ▪ Bruyant. |
| **2** ▪ Froid. | | **b** ▪ Vide. |
| **3** ▪ Silencieux. | | **c** ▪ Simple. |
| **4** ▪ Difficile. | | **d** ▪ Sombre. |
| **5** ▪ Plein. | | **e** ▪ Chaud. |

### ③ Trouvez les verbes ou les noms correspondants.

*Complétez puis écrivez (M) pour masculin ou (F) pour féminin près du nom dérivé pour indiquer le genre.*

Blocage ..................... ....................................

...................................... Ranger

Attribution ................ ....................................

Allumage .................. ....................................

...................................... Proposer

Situation ................... ....................................

Amusement .............. ....................................

...................................... Installer

# Grammaire

**④ *En train de* + infinitif.**

*Exemple :* Tu as emménagé ?
> **Non, je suis en train d'emménager.**
> **Je suis en train de le faire.**

**1** ▪ – Tu as rangé ton bureau ? – ........................................................

**2** ▪ – Tu as mis les dossiers au-dessus de l'armoire ? – ........................................................

**3** ▪ – Tu as installé ton ordinateur ? – ........................................................

**4** ▪ – Tu as placé la caisse sous la fenêtre ? – ........................................................

**5** ▪ – Tu as bu ton café ? – ........................................................

**⑤ *Qui est-ce qui...***

*Posez des questions sur les mots soulignés.*
*Utilisez les formes **qui est-ce qui**, **qui est-ce que**,*
***qu'est-ce qui**, **qu'est-ce que**.*
*Exemples :* La cafetière a disparu.
> **Qu'est-ce qui a disparu ?**

Son collègue est parti.
> **Qui est-ce qui est parti ?**

> Rappel : dans les formes
> **qui est-ce qui, qui est-ce**
> **que, qu'est-ce qui** et
> **qu'est-ce que**, le premier **qui**
> ou **que** indique s'il s'agit d'une
> personne ou d'une chose, le
> second indique s'il s'agit d'un
> sujet ou d'un complément.

**1** ▪ Le collègue n'y comprend rien. ........................................................

**2** ▪ Benoît lui a expliqué la nouvelle répartition. ........................................................

**3** ▪ La taille de son bureau met Nicole en colère. ........................................................

**4** ▪ Benoît a choisi le placard à balais. ........................................................

**5** ▪ Son collègue peut l'aider. ........................................................

**6** ▪ Le casier de brochures peut aller sous la table. ........................................................

**⑥ Inversion sujet-verbe.**

*Soignez votre langage écrit.*
*Transformez les phrases suivantes pour créer des questions avec l'inversion sujet-verbe.*
*Exemple :* Tes amis vont au cinéma.
> **Tes amis vont où ?**
> **Où tes amis vont-ils ?**

**1** ▪ Tes parents partent demain.

........................................................

**2** ▪ Ton frère va à Paris pour suivre un stage.

........................................................

**3** ▪ Les femmes s'en vont en voiture.

........................................................

**4** ▪ Ces gens partent pour se reposer.

........................................................

**5** ▪ Vous lui avez donné quinze euros.

........................................................

## ⑦ Inversion sujet-verbe.

*Le nouvel employé est très poli. Il emploie un langage très soigné pour interroger ses collègues.*
*D'après les réponses, trouvez ses questions.*
*Exemple :* **– Excusez-moi de vous déranger. Le bureau de M. Royer, où est-il ?**
   – C'est au quatrième, au fond du couloir.

**1 ▪** – ...................................................................................................................
   – Nicole va s'installer à côté, au 416.

**2 ▪** – ...................................................................................................................
   – La cafétéria est au sous-sol.

**3 ▪** – ...................................................................................................................
   – Vous devez vous adresser au service informatique.

**4 ▪** – ...................................................................................................................
   – La réunion aura lieu à 11 heures. Vous y serez le bienvenu.

## ⑧ *Y, en, lui ou leur ?*

*Nicole va emménager dans un nouveau bureau.*
*Chez elle, ses enfants lui demandent ce qu'elle va faire.*
*Remplacez le complément souligné par un pronom dans la réponse.*

**1 ▪** – Tu vas porter tes affaires <u>dans ton nouveau bureau</u> ?
   – ...............................................................................................................

**2 ▪** – Tu vas ranger tous tes dossiers <u>dans ton armoire</u> ?
   – ...............................................................................................................

**3 ▪** – Tu vas pouvoir téléphoner <u>à papa</u> de ton bureau ?
   – ...............................................................................................................

**4 ▪** – Tu vas demander <u>à tes collègues</u> de t'aider ?
   – ...............................................................................................................

**5 ▪** – Après, vous allez prendre un café <u>à la cafétéria</u> ?
   – ...............................................................................................................

**6 ▪** – Vous reviendrez <u>de la cafétéria</u> à quelle heure ?
   – ...............................................................................................................

## ⑨ *Ne... que.*

*Exemple :* On a laissé un seul fauteuil. ⇨ **Il ne reste qu'un fauteuil.**

**1 ▪** Il a emporté toutes ses affaires, mais il a oublié un dossier.
   ...............................................................................................................

**2 ▪** Tous les invités sont partis, sauf un vieil ami de la famille.
   ...............................................................................................................

**3** ▪ On a pris tous les meubles sauf la table.
   ...............................................................................................................

**4** ▪ Tous les employés sont en vacances, mais le gardien est resté.
   ...............................................................................................................

**5** ▪ Tous les bureaux sont pris. Seul, le placard à balais est encore libre.
   ...............................................................................................................

## ⑩ *Ne... que, ne... pas.*

*Complétez cet article paru dans un journal local.*

Aidez-nous à restaurer ce château !

Le château de notre village ...... est plus ...... une ruine. Nous ...... manquons ...... de gens

de bonne volonté pour travailler à sa restauration, mais nous ...... avons ...... assez d'argent

pour acheter les matériaux. Il ...... reste plus ...... une partie du donjon. Le grand escalier ......

a ...... de marches en bon état. Les toits ...... sont ...... un souvenir ! Nous ...... attendons

...... votre aide pour le sauver. Merci d'être généreux !

## ⑪ Condition et conséquence.

*Complétez les phrases : exprimez une conséquence.*
*Exemple : S'il n'y a rien à faire,* **je repars dans mon bureau.**

**1** ▪ S'il ne reste que ces trois bureaux, ......................................................................

**2** ▪ Si tu veux un coup de main, ......................................................................

**3** ▪ Si tu peux trouver un endroit, ......................................................................

**4** ▪ S'il fait trop chaud, ......................................................................

**5** ▪ Si vous rangez bien votre bureau, ......................................................................

## Écriture

## ⑫ Une lettre de réclamation.

*On vous a attribué un bureau mal situé, trop sombre et trop chaud l'été, trop petit, sans vue... Sur une feuille séparée, vous écrivez une lettre au chef du personnel pour vous plaindre et demander qu'on vous change de bureau. Donnez de bonnes raisons si vous voulez obtenir satisfaction !*

## ⑬ Résumez l'ensemble de l'épisode.

*1) Mettez ces photos en ordre.*
*2) Faites des commentaires sur chacune des photos.*

a          b          c          d          e          f

◯ **1** ▪ ......................................................................
◯ **2** ▪ ......................................................................
◯ **3** ▪ ......................................................................
◯ **4** ▪ ......................................................................
◯ **5** ▪ ......................................................................
◯ **6** ▪ ......................................................................

*3) Sur une feuille séparée, écrivez un résumé en 60 à 80 mots.*

# Révision 2

## ① Combien de fois ?

*Dites combien de fois vous le faites.*

**1** ▪ Vous êtes souvent allé(e) au théâtre l'année dernière ?

........................................................................................................................................

**2** ▪ Vous faites des courses tous les combien ?

........................................................................................................................................

**3** ▪ Combien de fois est-ce que vous êtes allé(e) à l'étranger ?

........................................................................................................................................

**4** ▪ Vous travaillez tous les jours ? De quelle heure à quelle heure ?

........................................................................................................................................

**5** ▪ Vous avez pris l'avion souvent ?

........................................................................................................................................

## ② Pronoms compléments.

*Employez un pronom complément dans votre réponse.*

**1** ▪ – Tu peux rappeler Nicolas ?

– ....................................................................................................................................

**2** ▪ – Tu ne veux pas dire la vérité à Sophie ?

– ....................................................................................................................................

**3** ▪ – Tu vas parler à tes parents ?

– ....................................................................................................................................

**4** ▪ – Vous ne pouvez pas aider vos amis ?

– ....................................................................................................................................

**5** ▪ – Elle peut faxer vos lettres ?

– ....................................................................................................................................

## ③ Pronoms compléments et participe passé.

*Complétez avec des pronoms compléments et faites l'accord du participe si nécessaire.*

**1** ▪ – Tu ................. connais, Odile ?

**2** ▪ – Oui, je ................. ai rencontré...... hier et je ................. ai parlé...... .

**3** ▪ – Moi, je ne ................. vois pas souvent, mais on ................. téléphone.

**4** ▪ – Tu ................. as téléphoné...... hier ?

**5** ▪ – Non, pas hier, mais je vais ................. voir ce soir.

## ④ Adjectifs démonstratifs.

*Complétez.*

**1** ▪ Tu vas à l'agence ................. matin ?

**2** ▪ Oui, je vais porter ................. billet et ................. dossiers.

**3** ▪ Pourquoi est-ce que tu as mis ................. costume et ................. cravate ?

**4** ▪ Parce que je vais chercher quelqu'un à Roissy ................. après-midi.

⑤ *Connaître, savoir* **ou** *pouvoir* **?**

*Complétez.*

**1** ▪ Cet homme ............................... bien son travail. Il ............................... travailler.

**2** ▪ – Tu ............................... compter en français ? – Je ............................... les

nombres, mais je ne ............................... pas compter vite.

**3** ▪ – Vous ............................... cette femme ? – Je l'ai vue, mais je ne

............................... pas qui c'est.

**4** ▪ – Tu ............................... quand ils reviennent ? – Non, je ne ...............................

pas te dire. Je ne ............................... pas leurs projets.

**5** ▪ Elle ............................... faire beaucoup de choses, mais elle ne

............................... pas faire la cuisine !

⑥ **Quantificateurs.**

*Répondez comme dans l'exemple.*

*Exemple :* – Tu veux de la bière ? ⇨ **– Non, je n'en bois pas. Donne-moi de l'eau.**

**1** ▪ – Tiens, voilà de l'eau plate.

– ...............................................................................................................

**2** ▪ – Il reste des légumes. Tu en reprends ?

– ...............................................................................................................

**3** ▪ – Du poisson, ça te va ?

– ...............................................................................................................

**4** ▪ – Tu prends du fromage ?

– ...............................................................................................................

⑦ *En* **ou** *y* **?**

*Complétez.*

**1** ▪ – Tu vas dans le bureau de Nicole ? – Oui, j' ................. vais.

**2** ▪ – Moi, j' ................. sors. Elle n' ................. est pas. Elle est peut-être à la cafétéria.

Elle ................. va souvent à midi.

**3** ▪ – Non, elle n' ................. est pas. J' ................. viens.

**4** ▪ – Retournons dans son bureau. Elle ................. est peut-être maintenant.

**5** ▪ – D'accord. Allons-................. .

⑧ **Soignez votre style.**

*Récrivez ces questions. Faites des inversions sujet-verbe et utilisez un pronom de reprise si nécessaire.*

**1** ▪ Pourquoi est-ce que ces gens ont l'air heureux ?

...............................................................................................................

**2** ▪ De quoi est-ce que demain sera fait ?

...............................................................................................................

**3** ▪ Il faudra s'adresser à qui pour obtenir des renseignements ?

...............................................................................................................

**4** ▪ Tu fais du judo depuis combien de temps ?

...............................................................................................................

# Dans les boutiques . . . . . . . . . . . .

## Vocabulaire

① **Comment trouvez-vous ces vêtements ?**

*Utilisez : long – court – large – étroit – grand – petit – cher – triste.*

1 ∎ ..............................................................................................................

2 ∎ ..............................................................................................................

3 ∎ ..............................................................................................................

4 ∎ ..............................................................................................................

5 ∎ ..............................................................................................................

6 ∎ ..............................................................................................................

② **Familles de mots.**

*Complétez le tableau et les phrases ci-dessous.*

| Coiffer | *Coiffeur* | *Coiffure* |
|---------|-----------|-----------|
| Vendre | | |
| Acheter | | |
| Passer | | |
| Prêter | | |

1 ∎ Quand je veux changer de ........................., je vais chez le .........................

pour me faire ......................... .

2 ∎ Il y avait des ............................... dans la rue. Ils marchaient sur

les ............................... piétons.

3 ∎ Un bon ............................... doit aimer la ............................... s'il veut

bien ............................... .

4 ∎ Pour faire de bons ..............................., un ............................... doit

savoir ............................... .

5 ∎ J'ai besoin d'un ............................... . Mais les banques

ne ............................... qu'aux riches.

**③ Lequel ? Celui de, celui-là...**

*Faites des phrases comme dans l'exemple.*

*Exemple :* Cette voiture est à tes parents ?
> ⇨ **– Laquelle ? – La rouge.**
> **– Non, c'est celle de ma sœur. La voiture de mes parents, c'est celle-là.**

**1** ▪ – Cette robe est à ta sœur ?

– ..................................................................................................................

**2** ▪ – Ce pull est à ton père ?

– ..................................................................................................................

**3** ▪ – Ces chaussures sont à toi ?

– ..................................................................................................................

**4** ▪ – Ce blouson est à ton frère ?

– ..................................................................................................................

**5** ▪ – Ces foulards sont à Violaine ?

– ..................................................................................................................

**④ D'accord, pas d'accord.**

*Donnez chaque fois deux réponses, une pour dire que vous êtes du même avis, l'autre pour dire que vous êtes d'un avis contraire.*

*Exemple :* Je pense que la voiture y entre.
> ⇨ **Moi aussi./Pas moi.**

**1** ▪ – Je crois que tu peux te garer ici. – ..............................................................

**2** ▪ – Je ne suis jamais entrée dans cette boutique. – ............................................

**3** ▪ – On achetait nos vêtements ici. – ..................................................................

**4** ▪ – Je trouve que ça lui va très bien. – ..............................................................

**5** ▪ – Je n'aime pas sa coiffure. – ........................................................................

**6** ▪ – Je n'achète rien dans ce quartier. – ............................................................

**⑤ Imparfait.**

*Complétez le texte avec les verbes suivants à l'imparfait : savoir – s'habiller – connaître – aller – sortir – travailler – prendre – être – marcher – porter.*

Dans les années 1900, on ................................ la Parisienne pour son élégance. Les riches ................................ chez les grands couturiers, les autres ................................ dans les petites boutiques pas chères. Mais toutes ................................ choisir leurs vêtements. Elles ne ................................ jamais sans chapeau, ................................ les robes longues avec grâce et ................................ à petits pas. Ce n'................................ sans doute pas très pratique, mais elles ne ................................ pas souvent le métro ! Il est vrai que peu de femmes ................................ à cette époque.

> Quand vous apprenez un mot, essayez de trouver le nom ou le verbe correspondant. Apprenez les mots par familles. Essayez de mémoriser les mots dans des phrases.

## ⑥ Imparfait.

*Appariez ces phrases.*

**1** ▪ J'ai mis mon pull dans cette armoire.
Je ne le trouve plus !

**2** ▪ Tu te souviens de mon pantalon blanc ?

**3** ▪ Vous veniez souvent il y a quelque temps.

**4** ▪ C'est ceux-là que vous aimiez.

**5** ▪ Cette robe est un peu trop classique.

**a** ▪ Ce n'est pas ce que tu voulais ?

**b** ▪ Oui, j'habitais près d'ici,
mais j'ai déménagé.

**c** ▪ Oui, mais je n'en mets plus.

**d** ▪ Tiens le voilà. Il était sur ton lit.

**e** ▪ Oui, tu le mettais souvent
l'année dernière.

## ⑦ *Depuis, il y a, ça fait* + **expression de temps.**

*Exprimez chaque phrase de deux autres manières.*
*Exemple :* Ils n'ont pas voyagé depuis longtemps.
⇨ **Ça fait longtemps qu'ils n'ont pas voyagé.**
**Il y a longtemps qu'ils n'ont pas voyagé.**

**1** ▪ Il y a 15 ans que j'achète mes vêtements dans cette boutique.

.................................................................................................................................

**2** ▪ Ça fait dix ans qu'il n'a pas changé de voiture.

.................................................................................................................................

**3** ▪ Il y a longtemps qu'elles ne se voient plus.

.................................................................................................................................

**4** ▪ Ils ne s'écrivent plus depuis des années.

.................................................................................................................................

**5** ▪ Ça fait des mois qu'elles ne se parlent plus.

.................................................................................................................................

## ⑧ Imparfait et expressions de temps.

*Faites une phrase à propos de chacun des objets ci-dessous. Variez les structures de phrase et les*
*expressions de temps.*

*Exemple :*

*1949*
*le lave-linge*

⇨ **On a des lave-linge depuis 1949 seulement. Ça fait 50 ans**
**qu'on trouve des lave-linge à acheter. Il y a 50 ans qu'on utilise**
**le lave-linge. Il n'y avait pas de lave-linge avant 1949. C'est en**
**1949 qu'on a commencé à utiliser des lave-linge.**

**1** • *1963 le yaourt en pot*    **2** • *1965 la mini-jupe*    **3** • *1979 le CD*    **4** • *1979 le téléphone sans fil*

**1** ▪ ................................................................................................................................

**2** ▪ ................................................................................................................................

**3** ▪ ................................................................................................................................

**4** ▪ ................................................................................................................................

# Écriture

## ⑨ Particularités de la conjugaison : verbes en -*ger* et -*cer*.

*Complétez avec les verbes entre parenthèses. Conservez le son* [ʒ] *en écrivant* -**ge**- *devant* **o** *ou* [s] *avec c cédille* (**ç**) *à la première personne du pluriel.*

**1 ▪** – Vous ............................... souvent dans ce restaurant ?

– Non, nous n'y ............................... pas très souvent. (Manger.)

**2 ▪** – Vous ............................... souvent les meubles chez vous ?

– Non, nous ne les ............................... plus. (Déplacer.)

**3 ▪** – C'est bien cette semaine que vous ............................... ?

– Non, nous ne ............................... plus. (Déménager.)

**4 ▪** – Quand est-ce que vous............................... ce nouveau produit ?

– Nous le ............................... le mois prochain. (Lancer.)

**5 ▪** – Vous ............................... beaucoup ?

– Nous ............................... souvent,

mais nous ne ............................... plus. (Voyager.)

## ⑩ Les débuts de l'aviation.

*Écrivez un texte pour faire revivre (à l'imparfait) les débuts de l'aviation dans le monde. Utilisez les faits suivants.*

| | |
|---|---|
| **1500** | Léonard de Vinci imagine des machines volantes. |
| **1890** | Clément Adler fait voler son Éole 1 sur 50 mètres. |
| **1903** | Les frères Wright restent en l'air et dirigent leur aéroplane. |
| **1909** | Louis Blériot réalise un exploit international : il traverse la Manche de Calais à Douvres en 38 minutes. |
| **1913** | Traversée de la Méditerranée en 7 heures 53 minutes par Roland Garros. |
| **1914** | Création du premier service régulier de passagers sur 29 kilomètres en Floride. L'hydravion ne transporte qu'un passager à la fois. |

...................................................................................................................................

...................................................................................................................................

...................................................................................................................................

...................................................................................................................................

...................................................................................................................................

*On entrait vraiment dans le siècle de l'aviation !* ..........................................

Pour aborder la lecture d'un texte :
– examinez le titre et les illustrations s'il y en a ;
– lisez rapidement le début et la fin ;
– parcourez rapidement le texte pour vous faire une idée du contenu.

## Vocabulaire

### ① Chassez l'intrus.

*Dites pourquoi un des mots ne va pas avec les autres.*

**1** ▪ Permis de conduire – fourrière – manteau – commissariat.

..............................................................................................................................

**2** ▪ Prêter – raconter – emprunter – récupérer.

..............................................................................................................................

**3** ▪ Mettre – enlever – porter – râler.

..............................................................................................................................

**4** ▪ Gentil – méchant – aimable – agréable.

..............................................................................................................................

### ② Mots croisés.

*Lisez les définitions et remplissez la grille.*
*Reportez-vous à la page 48 de votre manuel.*

**1** ▪ 80% des ménages français en ont une.

**2** ▪ Comme l'essence, il sert à faire rouler la voiture.

**3** ▪ On prend ce moyen de transport quand on est pressé.

**4** ▪ Il en faut pour rouler en voiture.

**5** ▪ On y met les bagages.

**6** ▪ Tous les conducteurs savent le faire.

**7** ▪ Il traverse les rues sur des passages spéciaux.

**8** ▪ L'autobus s'y arrête.

### ③ Formez des couples.

*Classez les mots suivants par deux d'après leur sens.*
*Exemple :* **Chercher – trouver.**

Chercher – prêter – monter – sortir – arriver – acheter – enlever – se coucher – recevoir – attaquer – entrer – emprunter – trouver – défendre – donner – se lever – mettre – partir – descendre – vendre.

..............................................................................................................................

..............................................................................................................................

..............................................................................................................................

..............................................................................................................................

..............................................................................................................................

..............................................................................................................................

**④ Où est-ce qu'on prononce ces phrases ?**

*Exemple : – Quelle est votre pointure ? – Je fais du 37.*
　　　　　⇨ **Dans un magasin de chaussures.**

**1** ▪ Quelle taille est-ce que vous faites ? ....................................................

**2** ▪ Je viens pour récupérer ma voiture. ....................................................

**3** ▪ Vous avez choisi votre dessert ? ....................................................

**4** ▪ Votre voiture est mal garée. Montrez-moi votre permis de conduire. ..................

**5** ▪ Qu'est-ce que vous prenez, du super ou du sans-plomb ? ..................................

## Grammaire

**⑤ Imparfait.**

*Mettez les verbes entre parenthèses à l'imparfait.*

Quand nous (être) ................................ à Paris, nous (prendre) ................................

souvent le métro. Nous (aller) ................................ visiter les monuments et les musées.

Nous (se promener) ................................ le long de la Seine. Nous (manger)

................................ dans des petits restaurants sympathiques. Nous (parler)

................................ aux gens et nous (se faire) ................................ des amis.

C' (être) ................................ l'été dernier. Il (faire) ................................ beau.

Beaucoup de Parisiens (être) ................................ loin de Paris. Il n'y (avoir)

................................ pas d'embouteillages. Nous avons passé d'excellentes vacances.

**⑥ Adjectifs suivis de *de* + infinitif.**

*Attention à la préposition **de** qui suit ces adjectifs.*
*Exemple : La défendre, c'est gentil.* ⇨ **C'est gentil de la défendre.**

**1** ▪ Entendre ça, c'est agréable. ....................................................

**2** ▪ Faire ça, c'est facile. ....................................................

**3** ▪ Être avec vous, c'est bon. ....................................................

**4** ▪ Trouver du travail, c'est difficile. ....................................................

**5** ▪ Vendre des produits de luxe, c'est intéressant. ....................................................

**⑦ Prépositions dans les expressions de temps.**

*Complétez avec **en, à, dans** ou **depuis**.*

**1** ▪ Ils seront là ................ dix minutes.

**2** ▪ Je les ai vus pour la dernière fois ................ Noël.

**3** ▪ L'euro sera généralisé ................ 2002.

**4** ▪ Je ne leur ai pas téléphoné ................ deux semaines.

**5** ▪ Il l'a fait ................ dix minutes.

**6** ▪ Ils partent ................ avril.

**7** ▪ Elle revient ................ deux heures.

## ⑧ Imparfait ou passé composé ?

*Mettez les verbes entre parenthèses au temps qui convient.*

**1** ▪ La semaine dernière, nous (partir) ............................... en week-end.

Il y (avoir) ............................... tellement de monde au retour que nous

(mettre) ............................... trois heures pour rentrer.

**2** ▪ Hier, je (aller) ............................... chez Claire. Quand je (arriver)

............................... elle (pleurer) ............................... et elle ne (pouvoir)

............................... plus parler. Je (être) ............................... très inquiète.

Elle (se calmer) ............................... et me (raconter) ............................... son

aventure. En fait, ce ne (être) ............................... pas très grave.

## ⑨ Imparfait ou passé composé ?

*Trouvez les questions.*

**1** ▪ – ........................................................... ? – Oui, il y avait beaucoup de monde.

**2** ▪ – ........................................................... ? – Je l'ai garée au coin de la rue.

**3** ▪ – ........................................................... ? – Oui, elle débordait un peu.

**4** ▪ – ........................................................... ? – Ce n'était pas possible. Je n'avais pas le choix.

**5** ▪ – ........................................................... ? – Il n'y avait pas de cabine téléphonique !

## ⑩ C'est interdit !

*Dites-le de plusieurs façons. Transformez comme dans l'exemple.*
*Exemple :* Interdit de stationner.

⇨ **Le stationnement est interdit.**
**Il est défendu de stationner.**
**Ne stationnez pas.**
**Il ne faut pas stationner.**

**1** ▪ Interdiction de faire demi-tour. ...........................................................

...........................................................

**2** ▪ Vitesse limitée à 60 km/h. ...........................................................

...........................................................

**3** ▪ Accès interdit aux piétons. ...........................................................

...........................................................

**4** ▪ Arrêt interdit. ...........................................................

...........................................................

## ⑪ *Ne pas* ou *ne plus* ?

**1** ▪ – Vous vous déplacez à moto maintenant ? – Oui, je n'ai ................. de voiture.

**2** ▪ – Vous n'allez ................. dans ce magasin ?

– Non, il y a longtemps que je n'y vais ................. .

**3** ▪ – Vous n'allez................. rendre visite aux Lefèvre aujourd'hui ?

– Non, je ne les vois ................. .

**4** ▪ – Je n'ai ................. trouvé de robe, mais je n'en cherche ................. .

**5** ▪ – Vous n'allez ................. chez ce coiffeur ? – Non, il ne coiffe ................. bien.

**⑫ Les verbes en -*eler* et -*eter*.**

*Complétez les phrases.*

**1** ▪ Ne jet…… pas cette cafetière. Elle peut encore servir. Où est-ce que tu l'as ach…… ?

**2** ▪ Excuse-moi. Je n'ai pas le temps. Je te rappel……rai demain.

**3** ▪ Tu ach……ras tout ce qu'il faut pour dîner.

**4** ▪ Épel…… : Comment ça s'écrit ?

**5** ▪ Vous jet…… ce foulard ? Je vous le rach…… .

**⑬ Biographie de Vincent Van Gogh.**

*À partir des éléments ci-dessous, écrivez sur une feuille séparée un texte au passé sur la vie de Vincent Van Gogh. Choisissez les éléments à mettre en valeur.*

| | |
|---|---|
| **30 mars 1853** | Naissance de Vincent Van Gogh aux Pays-Bas. Fils d'un pasteur, aîné de six enfants. À 9 ans, montre du talent pour le dessin. |
| **1873** | À 20 ans, travaille comme employé dans une galerie d'art, mais rêve de devenir pasteur. Parle hollandais, français et anglais. |
| **1880** | À 27 ans, découvre sa vocation de peintre. Part étudier la peinture dans l'atelier de son cousin à La Haye. Reproduit pour s'entraîner les œuvres de Millet, son « père spirituel » et son « modèle artistique ». Soutien moral et financier de son frère Théo. |
| **1881-1886** | Période hollandaise. Tableaux de paysans, *Les Mangeurs de pomme de terre*, premier chef d'œuvre. Nombreux échanges de lettres avec Théo, installé à Paris. |
| **1886-1888** | Van Gogh rejoint son frère, directeur d'une galerie à Montmartre. Rencontre avec de grands peintres : Pissarro, Gauguin… Influencé par ces peintres et les impressionnistes. |
| **1888-1889** | À la recherche de la lumière, il s'installe à Arles, petite ville du sud-est de la France. Peint de nombreux paysages. Gauguin le rejoint à sa demande. Dispute avec Gauguin. Internement à l'asile de Saint-Rémy-de-Provence. Il y peint sans relâche. Grâce à Théo, il commence à être connu et vend quelques tableaux. |
| **20 mai 1890** | Installation à Auvers-sur-Oise, près de Paris. Plus que deux mois à vivre : il peint 80 tableaux. |
| **29 juillet 1890** | Suicide de Van Gogh d'une balle de revolver. |
| **25 janvier 1891** | Mort de Théo dans une maison de santé. |

**⑭ Résumez l'ensemble de l'épisode.**

*Écrivez un résumé en 60 à 80 mots.*

..............................................................................................................................................

..............................................................................................................................................

..............................................................................................................................................

..............................................................................................................................................

..............................................................................................................................................

..............................................................................................................................................

## Vocabulaire

### ① Chassez l'intrus.

**1** ▪ Fort – gentil – sympa – champion.

**2** ▪ Assurer – confirmer – critiquer – affirmer.

**3** ▪ Moyen – bas – difficile – haut.

**4** ▪ Finir – continuer – garder – commencer.

### ② Associez les mots.

**1** ▪ Un champion      **a** ▪ de gagner.

**2** ▪ Une ceinture      **b** ▪ de durée.

**3** ▪ Un record      **c** ▪ en rédaction.

**4** ▪ Un progrès      **d** ▪ noire.

**5** ▪ Une envie      **e** ▪ de judo.

### ③ Mots cachés.

*Trouvez dix mots dans la grille.*

```
C O N S T R U C T I O N A
O R O O O U B H A U T C C
M E S N U E G A G N E R E
B C F O R T D M A I N S E
A O R A N G E P A I N F N
T R G N C R O I S S A N T
D E V O I R O E U F U H C
```

........................................

........................................

........................................

........................................

........................................

........................................

........................................

### ④ Trouvez les mots correspondants.

*On vous donne le verbe, vous cherchez le nom correspondant et vice versa.*

**1** ▪ Oubli.      ...............................

**2** ▪ Arrêt.      ...............................

**3** ▪ Gain.      ...............................

**4** ▪ Assurance.      ...............................

**5** ▪ Intérêt.      ...............................

**6** ▪ ...............................      Construire.

**7** ▪ ...............................      Servir.

**8** ▪ ...............................      Aviser.

> Pour lire un texte :
> – essayez de repérer les mots les plus chargés de sens ;
> – cherchez la phrase la plus significative de chaque paragraphe ;
> – lisez le texte plusieurs fois en cherchant quatre ou cinq mots inconnus chaque fois.

**⑤ Plus, moins, aussi.**

*Donnez votre opinion.*

*Exemple :* Les timides – les audacieux – sympathique.

⇨ **Les audacieux sont plus/moins sympathiques que les timides.**

**1** ▪ Les silencieux – les bruyants – agréable.

.................................................................................................................................

**2** ▪ Les petits bruns – les grands blonds – séduisant.

.................................................................................................................................

**3** ▪ Les sportifs – les calmes – dynamique.

.................................................................................................................................

**4** ▪ Les courageux – les peureux – intéressant.

.................................................................................................................................

**⑥ Comparez.**

*Comparez les programmes du soir de trois chaînes de télévision : TF1, France 3 et ARTE.*

*Exemple :* **Sur TF1 il y a plus de...**

.................................................................................................................................
.................................................................................................................................
.................................................................................................................................
.................................................................................................................................
.................................................................................................................................
.................................................................................................................................

| TF1 | FRANCE 3 | ARTE |
|---|---|---|
| **- Lundi**<br>20 h 00 Journal<br>20 h 55 Film (Fr) :<br>*Un homme en colère*<br>**- Mardi**<br>20 h 00 Journal<br>20 h 55 Film (Fr) :<br>*Les deux papas et la maman*<br>**- Mercredi**<br>20 h 00 Journal<br>20 h 30 Football<br>**- Jeudi**<br>20 h 00 Journal<br>20 h 55 Série TV :<br>*Une femme d'honneur*<br>**- Vendredi**<br>20 h 00 Journal<br>20 h 45 Trafic infos<br>20 h 55 Divertissement :<br>*Les Enfants de la télé*<br>**- Samedi**<br>20 h 00 Journal<br>20 h 55 Divertissement :<br>*Drôle de jeu*<br>**- Dimanche**<br>20 h 00 Journal<br>20 h 55 Film (US) :<br>*Jeux de guerre* | **- Lundi**<br>20 h 05 Jeu : le Kadox<br>20 h 35 Tout le sport<br>20 h 55 Film (Fr) : *Mais où est donc passée la 7e compagnie ?*<br>**- Mardi**<br>20 h 05 Jeu : le Kadox<br>20 h 40 Tout le sport<br>20 h 55 Variétés<br>**- Mercredi**<br>20 h 05 Jeu : le Kadox<br>20 h 40 Tout le sport<br>20 h 55 Magazine de reportages :<br>*Des racines et des ailes*<br>**- Jeudi**<br>20 h 05 Jeu : le Kadox<br>20 h 35 Tout le sport<br>20 h 50 Consomag<br>20 h 55 Film (US) : *Josey Wales hors-la-loi*<br>**- Vendredi**<br>20 h 05 Jeu : le Kadox<br>20 h 35 Tout le sport<br>20 h 55 Magazine de la mer, *Thalassa*<br>**- Samedi**<br>20 h 05 Série GB : *Mr Fowler*<br>20 h 55 Série TV : *Le Sélec*<br>**- Dimanche**<br>20 h 15 Divertissement<br>20 h 55 Série Allemagne : *Derrick* | **- Lundi**<br>20 h 15 Documentaire : *La colère des eaux*<br>20 h 45 Film (Fr) : *Un samedi sur la Terre*<br>**- Mardi**<br>20 h 15 Documentaire : *Les hommes d'acier*<br>20 h 45 : Documentaire : *Sigmund Freud, l'invention de la psychanalyse (1)*<br>**- Mercredi**<br>20 h 15 Documentaire : *La souricière*<br>20 h 45 Documentaire : *Sigmund Freud, l'invention de la psychanalyse (2)*<br>**- Jeudi**<br>20 h 15 Documentaire : *Pour un sourire*<br>20 h 40 Soirée thématique :<br>Magazine : *Que faisiez-vous en 40 ?*<br>**- Vendredi**<br>20 h 15 Documentaire :<br>*Palettes, Pablo Picasso*<br>20 h 45 Film (Fr-Belge) : *Le pantalon*<br>**- Samedi**<br>20 h15 Série GB (VO)<br>20 h 45 Documentaire : *Cruellement vôtre* Le miracle de la vie<br>**- Dimanche**<br>20 h 15 Série GB<br>20 h 40 Soirée thématique : *Nick Knatterton* Les coulisses de la pub<br>20 h 45 Film (GB) : *Vous n'y résisterez pas !* |

## ⑦ Comparez.

*Rétablissez la vérité.*

**1** ▪ Éric est aussi bon en grammaire que Pascal. ....................................................................

**2** ▪ Pascal est aussi fort au judo qu'Éric. ........................................................................

**3** ▪ Le prof de judo est moins fort qu'Éric. ......................................................................

**4** ▪ Le grand brun a le même âge que Pascal. ................................................................

**5** ▪ Éric est plus grand que ses camarades de classe. ....................................................

## ⑧ Comparatif, superlatif.

*Comparez les deux.*

*Exemple :* L'avenue des Champs-Élysées – la rue Mouffetard – connu.

⇨ **L'avenue des Champs-Élysées est plus connue que la rue Mouffetard.**
**Des deux, l'avenue des Champs-Élysées est la plus connue.**

**1** ▪ La tour Eiffel – l'Arc de Triomphe – haut.

.................................................................................................................................

**2** ▪ La pyramide du Louvre – la cathédrale Notre-Dame de Paris – ancien.

.................................................................................................................................

**3** ▪ Deux peintres : Cézanne – Dufy – célèbre.

.................................................................................................................................

**4** ▪ Deux tableaux : La Joconde – Le radeau de la Méduse – connu.

.................................................................................................................................

## ⑨ Superlatifs.

*Comparez les trois ordinateurs portables ci-dessous.*

*Exemple :* **Le TO4 a le plus de mémoire vive, mais c'est l'ordinateur le plus cher.**

|  | **MTX** | **TO4** | **PB5** |
|---|---|---|---|
| **Mémoire vive** | 48 Mo | 64 Mo | 32 Mo |
| **Capacité du disque dur** | 2,5 Go | 3,5 Go | 2 Go |
| **Poids** | 3kg | 2,3 kg | 1,9 kg |
| **Prix** | 1 750 euros | 2 150 euros | 1 950 euros |

.................................................................................................................................

.................................................................................................................................

.................................................................................................................................

.................................................................................................................................

.................................................................................................................................

.................................................................................................................................

## ⑩ Obligation ou probabilité ?

*Dites s'il s'agit d'obligation (O) ou de probabilité (P).*

◯ **1** ▪ Les champions doivent s'entraîner régulièrement.

◯ **2** ▪ La vie d'un champion doit être difficile.

◯ **3** ▪ Il devait venir voir le match hier soir, mais il n'a pas pu à cause du mauvais temps.

◯ **4** ▪ Vous devez faire du sport pour rester en forme.

◯ **5** ▪ Deux de nos amis doivent nous rejoindre sur le court.

## ⑪ Qu'est-ce que vous voulez savoir ?

*Un ami vous donne des nouvelles d'un ami commun que vous n'avez pas vu depuis des années.*
*Vous transformez les questions directes en questions indirectes.*
*Exemple :* Où est-il maintenant ? ➪ **Je voudrais bien savoir où il est maintenant.**

 **1** ▪ Est-ce qu'il va bien ? ................................................................................................................

 **2** ▪ Il s'est marié ? ...........................................................................................................................

 **3** ▪ Qu'est-ce qu'il lui a pris de partir sans explication ? ...................................................

 **4** ▪ Pourquoi ne m'a-t-il jamais écrit ? ...................................................................................

 **5** ▪ Comment est-ce que je peux reprendre le contact avec lui ? ....................................

## Écriture

## ⑫ Orthographe : *s* ou *ss* ?

*Complétez les mots.*

 **1** ▪ Elle a acheté des boi...... ons pour nos cou......ins.

 **2** ▪ On est bien sur ces cou......ins de ......oie ro......e.

 **3** ▪ Elle est ru......ée : elle dit qu'elle est d'origine ru......e.

 **4** ▪ Ce ......ont des poi......ons d'eau douce.

## ⑬ Où préférez-vous vivre ?

*Vous avez vécu à la campagne et à la ville. Dans une lettre adressée à un correspondant francophone,*
*vous comparez la vie à la ville et la vie à la campagne et vous indiquez les raisons de vos préférences.*

| **Vivez à la campagne !** | **Venez à la ville** |
|---|---|
| Pas de pollution | Réseau de transports en commun |
| Pas d'embouteillage | Nombreuses possibilités de travail |
| Vie saine, air pur | Vie culturelle riche |
| Pas de stress | Vie sociale développée |
| Vie bon marché | Grand choix de magasins |
|  | Bonne éducation pour les enfants |

................................................................................................................................................................

................................................................................................................................................................

................................................................................................................................................................

................................................................................................................................................................

................................................................................................................................................................

................................................................................................................................................................

................................................................................................................................................................

................................................................................................................................................................

Revoyez fréquemment les phrases illustrant les règles de grammaire.
Recherchez bien les causes de vos erreurs.

# C'est le meilleur . . . . . . . . . . . . . . . . . .

épisode 20

## Vocabulaire

### ① De quoi a-t-on besoin ?

*Exemple :* Pour jouer au foot, **on a besoin d'un maillot, d'un short, de chaussures et d'un ballon rond.**

*un monoski*

*un kimono*

*une raquette de tennis*

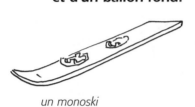

*une table de ping-pong*

*des patins à roulettes*

*un ballon de rugby*

**1** ▪ Pour faire du tennis, ............................................................................................................

**2** ▪ Pour faire du judo, ............................................................................................................

**3** ▪ Pour faire du ski, ............................................................................................................

**4** ▪ Pour jouer au rugby, ............................................................................................................

**5** ▪ Pour jouer au ping-pong, ............................................................................................................

**6** ▪ Pour faire du patin à roulettes, ............................................................................................................

### ② Des mots qui manquent.

*Complétez les phrases avec des mots des dialogues de l'épisode.*

**1** ▪ Le jeu d'échecs exige beaucoup de ............................. de la part des joueurs.

**2** ▪ Pour assurer son équilibre sur des patins, il faut ............................... le corps en avant.

**3** ▪ Il faut également ............................... les genoux.

**4** ▪ Dans tous les sports, il faut ............................... pour être bon.

**5** ▪ Quand on a beaucoup couru, on est fatigué et il faut se reposer pour ......................... .

### ③ Dites-le autrement.

*Trouvez des expressions de sens équivalent dans les dialogues.*

**1** ▪ Ce n'est pas la même chose. .............................................................................................

**2** ▪ Qu'est-ce que tu veux boire ? .............................................................................................

**3** ▪ Pas besoin de t'excuser. .............................................................................................

**4** ▪ Ça va mieux ? .............................................................................................

**5** ▪ Je crois que j'ai perdu la main. .............................................................................................

④ **Formez des couples de mots en opposition de sens.**

*Exemple :* **Attaquant – défenseur.**

**1 ▪** Gagner – reculer – lancer – ouvrir – allumer – fermer – commencer par – attraper – terminer par – perdre – avancer – éteindre.

.......................................................................................................................................

.......................................................................................................................................

**2 ▪** Facile – maladroit – content – jeune – fort – difficile – faible – mécontent – âgé – adroit.

.......................................................................................................................................

.......................................................................................................................................

## Grammaire

⑤ **Quels sont ces sports ?**

*Choisissez entre le judo, la marche, le tennis.*

**1 ▪** Quel sport exige plus d'adresse que de force ? ...............................................................

**2 ▪** Lequel demande plus d'endurance que de concentration ? .............................................

**3 ▪** Quel sport exige plus de réflexes que de réflexion ? .....................................................

**4 ▪** Quel jeu demande plus de concentration que d'endurance ? ..........................................

**5 ▪** Quels sports exigent beaucoup de technique ? .............................................................

⑥ **C'est mieux ou c'est meilleur ?**

*Exemple :* L'eau – le lait. ⇨ **L'eau, c'est bon, mais le lait, c'est meilleur.**

**1 ▪** Parler une langue étrangère – parler deux langues. .......................................................

**2 ▪** Le steak-frites – le foie gras. .......................................................................................

**3 ▪** Rester assis – faire du sport. ........................................................................................

**4 ▪** Les légumes congelés – les légumes frais. ....................................................................

**5 ▪** Regarder la télévision – lire. .........................................................................................

⑦ **Comparatifs, superlatifs.**

*Complétez le texte.*

Elle joue ................. que lui au golf et pourtant il s'entraîne ................. qu'elle. Elle a ................. force que lui, mais elle a ................. travaillé sa technique et elle réussit ................. ses coups. Elle est ................. calme que lui. Ils jouent ................. souvent l'un que l'autre, mais il dit qu'il a ............... chance qu'elle. En réalité, c'est elle la ............... .

> Quelles sont les causes les plus fréquentes de vos erreurs :
> – l'inattention ?
> – la connaissance insuffisante des règles ?
> – le manque de pratique ?
> – l'influence de votre langue maternelle ?...

## ⑧ Superlatif.

*Exemple :* Gérard Depardieu – acteur – connu. ⇨ **C'est l'acteur français le plus connu.**

**1** ▪ Les Champs-Élysées – avenue – prestigieuse. ............................................................

**2** ▪ Le Louvre – le monument – visité. ............................................................

**3** ▪ La Tour d'argent – le restaurant – connu. ............................................................

**4** ▪ Le Printemps – le grand magasin – fréquenté. ............................................................

## ⑨ Le meilleur ou le pire ?

*Choisissez l'activité qui vous paraît la meilleure ou la pire et dites pourquoi.*
*Exemple :* La natation – la course à pied.
⇨ **Des deux, c'est la course à pied la meilleure parce que c'est moins fatigant.**

**1** ▪ Le tennis – le basket. ............................................................

**2** ▪ Le football – le golf. ............................................................

**3** ▪ La voiture – le vélo. ............................................................

**4** ▪ La boxe – le judo. ............................................................

**5** ▪ La moto – le saut en longueur. ............................................................

## ⑩ Échange.

*Complétez le dialogue avec **toujours, encore** ou **pas encore**.*

**1** ▪ Tu joues ............................... au tennis ?

**2** ▪ Oui, mais je n'ai ............................... joué cette semaine.

**3** ▪ Tu as ............................... gagné ton dernier match ?

**4** ▪ Oui, mais j'ai ............................... eu beaucoup de chance.

**5** ▪ Je me demande ............................... comment tu fais pour être aussi bon !

## ⑪ Articles définis devant les parties du corps.

*Complétez le texte.*

Il lève ...... bras, puis il penche ...... corps en avant. Il touche le sol avec ...... doigts, sans plier ...... jambes. Ensuite, il se redresse et il baisse ...... bras. Il tourne ...... tête à droite, puis à gauche sans tourner tout ...... corps. Pendant tout ce temps, il garde ...... yeux fixés sur le professeur.

## Écriture

## ⑫ Orthographe et prononciation.

*Lisez ces phrases et soulignez les **e** qui peuvent ne pas être prononcés.*

**1** ▪ Je prends le petit déjeuner à sept heures.

**2** ▪ Plie le genou gauche.

**3** ▪ Je te l'ai montré pour que tu le corriges.

**4** ▪ C'est ce que je fais le matin.

**5** ▪ Je te dis de ne pas le faire.

## ⑬ Résumé.

*1) Mettez ces photos dans l'ordre de l'histoire.*

*2) Écrivez un court commentaire à propos de chacune de ces photos.*

a      b      c      d

e      f      g      h

○ 1 ▪ ....................................................................................................

○ 2 ▪ ....................................................................................................

○ 3 ▪ ....................................................................................................

○ 4 ▪ ....................................................................................................

○ 5 ▪ ....................................................................................................

○ 6 ▪ ....................................................................................................

○ 7 ▪ ....................................................................................................

○ 8 ▪ ....................................................................................................

*3) Sur une feuille séparée, écrivez un résumé en 60 à 80 mots.*

## ⑭ Écrivez un article.

*D'après les titres et les sous-titres de journaux suivants, écrivez un texte sur le match de football gagné par l'équipe de France.*

## La victoire était impérative !

Victoire de l'équipe de France à Moscou.

**3 beaux buts et la France gagne !**

Une victoire difficile, mais méritée.

**La France s'impose par 3 buts à 2 à Moscou**

Les Russes, excellents techniciens.

**3 À 2 ! ENFIN UN SUCCÈS !**

Mais un pénalty manqué et des adversaires qui pouvaient égaliser.

....................................................................................................

....................................................................................................

....................................................................................................

....................................................................................................

....................................................................................................

....................................................................................................

....................................................................................................

....................................................................................................

# Un remplacement imprévu . . . . . . . .

## Vocabulaire

### ① Mettez les mots en contexte.

*Complétez les phrases avec les verbes suivants : **se soigner – se documenter – s'occuper de – se servir de – se réveiller.***

**1** ▪ Vous savez ............................... d'un ordinateur ?

**2** ▪ Vous ............................... quand vous êtes malade ?

**3** ▪ Ils pourront ............................... de bonne heure demain matin ?

**4** ▪ Benoît pourra ............................... des urbanistes brésiliens.

**5** ▪ Benoît devra ............................... sur la Défense en quelques heures.

### ② Chassez l'intrus.

*Dites pourquoi vous éliminez un des mots.*

**1** ▪ Se réveiller – se recoucher – se tenir au courant – se relever.

...................................................................................................

**2** ▪ Ira – devrez – trouvez – aura.

...................................................................................................

**3** ▪ Des jaloux – des urbanistes – des heureux – des nouveaux.

...................................................................................................

**4** ▪ Sculpture – parvis – tableau – concerto.

...................................................................................................

### ③ Définitions.

*Trouvez les mots.*

**1** ▪ Il faut en faire avant de construire. ...............................

**2** ▪ Leur travail consiste à imaginer des villes fonctionnelles, belles et agréables à vivre.

...............................

**3** ▪ C'est un artiste qui crée des objets d'art en trois dimensions avec des matériaux solides.

...............................

**4** ▪ On y trouve beaucoup de magasins, de cinémas, de restaurants. ...............................

### ④ Ce sont des contraires.

*Associez les contraires.*

Jour – raccrocher – confiance – malade – s'impatienter – commencer – nuit – rater – meilleur – en forme – décrocher – terminer – méfiance – réussir – pire – patienter.

...................................................................................................

...................................................................................................

...................................................................................................

⑤ *Personne de*, *rien de* + **adjectif.**

*Répondez à la question. Utilisez un pronom indéfini dans la réponse.*
*Exemple :* Vous avez trouvé des solutions nouvelles ?
⇨ **Non, nous n'avons rien trouvé de nouveau.**

**1** ▪ – Vous avez parlé à des gens connus ? – ...............................................................................

**2** ▪ – Vous avez parlé de problèmes importants ? – ..................................................................

**2** ▪ – Vous avez parlé de problèmes ? – ...................................................................................

**3** ▪ – Vous avez acheté des choses utiles ? – ............................................................................

**4** ▪ – On vous a proposé des solutions valables ? – .................................................................

**5** ▪ – Vous avez entendu des gens compétents ? – ...................................................................

⑥ **Faites correspondre l'infinitif et le futur simple.**

**1** ▪ Serai.　　　　**a** ▪ Savoir.

**2** ▪ Aurai.　　　　**b** ▪ Devoir.

**3** ▪ Irai.　　　　　**c** ▪ Faire.

**4** ▪ Devrai.　　　　**d** ▪ Être.

**5** ▪ Verrai.　　　　**e** ▪ Vouloir.

**6** ▪ Pourrai.　　　**f** ▪ Avoir.

**7** ▪ Ferai.　　　　**g** ▪ Voir.

**8** ▪ Saurai.　　　　**h** ▪ Pouvoir.

**9** ▪ Voudrai.　　　**i** ▪ Aller.

⑦ **Futur simple.**

*Ces gens vont partir en vacances en voiture. Qu'est-ce qu'ils feront avant de partir ?*

**1** ▪ Faire le plein d'essence.

.............................................................................................................................................

**2** ▪ Ranger la maison.

.............................................................................................................................................

**3** ▪ Sortir la voiture du garage.

.............................................................................................................................................

**4** ▪ Mettre les valises dans la voiture.

.............................................................................................................................................

**5** ▪ Fermer les portes et les fenêtres.

.............................................................................................................................................

**6** ▪ Ne pas oublier leur carte de crédit et les papiers de la voiture.

.............................................................................................................................................

Améliorez vos techniques de révision.
Par exemple, regroupez les formes de grammaire en tableaux afin de construire votre propre système. Étudiez particulièrement les transformations négatives et interrogatives de la phrase simple.

## ⑧ *Faire + infinitif.*

*Exemple :* Visiter la Défense. (Benoît.)

⇨ **Ils doivent visiter la Défense. Benoît leur fera visiter la Défense.**

**1** ▪ Rencontrer des collègues français. (Les gens de l'agence.)

..................................................................................................................

**2** ▪ Voyager en province. (Nous.)

..................................................................................................................

**3** ▪ Prendre le TGV. (On.)

..................................................................................................................

**4** ▪ Écrire un rapport de visite. (Leur ministère.)

..................................................................................................................

## ⑨ Passé ou futur ?

*Complétez le dialogue avec des verbes au passé ou au futur.*

– Tu te souviens ? On (être) ............................... en Italie l'année dernière à la même

époque.

– Oui, avec les Lejeune. Nous (s'entendre bien) ............................... avec eux.

– Où (aller) ............................... l'an prochain ?

– Tu penses qu'ils (vouloir) ............................... faire un nouveau voyage avec nous ?

– Pourquoi pas ? Nous (voir) ............................... .

– Eh bien, nous leur (proposer) ............................... de repartir ensemble quand ils (venir)

............................... .

– Pendant qu'ils (être) ............................... chez nous, on (pouvoir) ...............................

même décider du pays à visiter.

– Si ça les (intéresser) ..............................., je suis sûr que tu (avoir) ...............................

beaucoup d'idées !

## ⑩ Venir de.

*Dites ce qu'ils viennent de faire.*

**1** ▪ ..............................................................................................................

**2** ▪ ..............................................................................................................

**3** ▪ ..............................................................................................................

**4** ▪ ..............................................................................................................

**⑪ Savez-vous vous servir d'un téléphone ?**

*1) Mettez ces instructions dans le bon ordre.*

◯ **a** ▪ Composez le numéro.

◯ **b** ▪ Attendez la sonnerie.

◯ **c** ▪ Parlez à votre correspondant.

◯ **d** ▪ Insérez votre carte de téléphone dans la fente.

◯ **e** ▪ Attendez l'apparition de la première consigne.

◯ **f** ▪ Décrochez l'appareil.

*2) Quels sont les deux premiers chiffres à faire ?*

**a** ▪ pour téléphoner à Paris ? ......

**b** ▪ pour obtenir un numéro à Nice ? ......

**c** ▪ pour appeler quelqu'un à Strasbourg ? ......

**Zone 1 :** 01 + n° tél.
**Zone 2 :** 02 + n° tél.
**Zone 3 :** 03 + n° tél.
**Zone 4 :** 04 + n° tél.
**Zone 5 :** 05 + n° tél.

## Écriture

**⑫ Orthographe.**

*Classez ces mots selon la prononciation de la voyelle nasale.*

Quelqu'un – temps – pigeon – bien – brun – client – loin – lent – faim – commun – quand – long – combien – méfiance – deuxièmement – patienter.

| [ɛ̃] | [ã] | [ɔ̃] |
|------|------|------|
| quelqu'un | temps | pigeon |
| | | |
| | | |
| | | |
| | | |

**⑬ Qu'est-ce qui va changer ?**

Vous avez, en classe (exercice 3, page 179 de votre manuel), interviewé votre voisin(e) pour savoir ce qui va changer dans votre pays. Reprenez vos idées, ainsi que d'autres, et écrivez un article d'une centaine de mots sur le sujet.

............................................................................................................................

............................................................................................................................

............................................................................................................................

............................................................................................................................

............................................................................................................................

............................................................................................................................

## Vocabulaire

### ① On recommence !

*1) Cherchez des verbes qui commencent par **re-** ou **r-** et qui indiquent une action répétée.*
*Exemple :* **Rappeler.**

.................................................................................................

.................................................................................................

*2) Pour marquer la répétition, transformez les verbes suivants.*

**a** ▪ Partir. ...................................

**b** ▪ Se coucher. ...................................

**c** ▪ Se lever. ...................................

**d** ▪ Monter. ...................................

**e** ▪ Voir. ...................................

**f** ▪ Venir. ...................................

### ② Définissez.

*Faites une phrase pour expliquer ce que c'est. Utilisez un pronom relatif.*
*Exemple :* ⇨ **C'est un monument**
**qui se trouve**
**à Paris.**

**1** ▪ .................................................................................................

**2** ▪ .................................................................................................

**3** ▪ .................................................................................................

**4** ▪ .................................................................................................

### ③ Définissez les adjectifs en -*able*.

*Exemple :* Un téléphone portable. ⇨ **C'est un téléphone qu'on peut porter.**

**1** ▪ Une histoire incroyable. .................................................

**2** ▪ Un souvenir inoubliable. .................................................

**3** ▪ Des voitures comparables. .................................................

**4** ▪ Un travail faisable. .................................................

**5** ▪ Une viande immangeable. .................................................

## Grammaire

### ④ *Dans* + expression de temps.

*Exemple :* Il est 10 heures. Olivier doit bien arriver à 10 heures et quart ?
⇨ **Oui, il arrivera dans un quart d'heure.**

**1** ▪ – Et toi, tu seras là quand ? À la demie ? – ................................................

**2** ▪ – Tu viendras aussi la semaine prochaine ? – ................................................

**3** ▪ – Et Louis nous rejoindra le mois prochain, c'est ça ? – ................................

**4** ▪ – Tu referas une fête l'année prochaine, pour l'anniversaire de Mélanie ? – ................

**5** ▪ – On est fin août. Tu reviendras nous voir au premier de l'an ? – ................................

**6** ▪ – Tu pars en week-end à la Toussaint ? – ................................................

### ⑤ Futur simple ou *aller* + infinitif.

*Complétez cette conversation avec des verbes au futur simple ou avec **aller** + infinitif.*

– Vous (partir) ................................ en vacances à Noël ?

– On y pense. On (aller) ................................ peut-être aux sports d'hiver. Pourquoi ?

– Nous, on (partir) ................................ sans doute aux Antilles.

– Ce n'est pas vrai ?

– Si. On a des amis qui nous (prêter) ................................ sans doute leur maison.

– Pourquoi tu dis « sans doute » ? Ce n'est pas sûr ?

– Nicolas (demander) ................................ des vacances à son patron.
  J'espère qu'il n'y (avoir) ................................ pas de problème.

– Et vous le (savoir) ................................ quand ?

– On (connaître) ................................ la réponse dans quelques jours.

– Et la maison de tes amis, elle est grande ?

– Je crois, oui. Pourquoi ?

– Parce qu'on (avoir) ................................ plus chaud aux Antilles qu'à la montagne !

### ⑥ Pronoms relatifs.

*Complétez le texte avec les relatifs **qui, que, où**.*

La France est un pays ................ les innovations technologiques sont quelquefois lentes à
se répandre. Le téléphone mobile, ................ a démarré assez lentement, s'est pourtant
développé assez rapidement dès 1997. Spécificité française, le Minitel, ................
existe depuis plus de douze ans, équipe encore près d'un tiers des ménages. C'est pourquoi la
France est le pays ................ les services en ligne sont les plus utilisés.
L'ordinateur multimédia, ................ de plus en plus de familles possèdent, favorise les ventes
de CD-Rom ................ augmentent régulièrement chaque année. Avec l'importance
................ a prise le réseau Internet, le nombre de ceux ................ sont abonnés à un
serveur est comparable à celui ................ connaissent d'autres pays développés. On
considérait que les services ................ apporte le réseau à des non-techniciens restaient
insuffisants. Avec les encouragements ................ a donnés le gouvernement, on a effectué
un rattrapage rapide.

## ⑦ Mise en valeur.

*Mettez en valeur les mots soulignés. Utilisez **c'est... que, c'est... qui.***
*Exemple :* J'ai l'intention de leur offrir ce cadeau.
➭ **C'est à eux que j'ai l'intention d'offrir ce cadeau.**

**1** ▪ Je veux le voir. .......................................................................................

**2** ▪ Tu feras les courses. ..............................................................................

**3** ▪ Je veux leur parler. ...............................................................................

**4** ▪ Je voudrais visiter ce quartier. ..........................................................

**5** ▪ Je voudrais la remercier. .....................................................................

## ⑧ Pronoms relatifs.

*Pensez à un endroit, une ville et un pays que vous connaissez bien et terminez les phrases.*

**1** ▪ C'est un endroit qui ............................................................................

que ........................................................................................................

où ..........................................................................................................

**2** ▪ C'est une ville qui ...............................................................................

que ........................................................................................................

où ..........................................................................................................

**3** ▪ C'est un pays qui .................................................................................

que ........................................................................................................

où ..........................................................................................................

## ⑨ Petite histoire.

*Utilisez : **se sentir mieux – aller mieux – se soigner – prendre des médicaments.***

..................................................................................................................
..................................................................................................................
..................................................................................................................
..................................................................................................................
..................................................................................................................

## ⑩ Que doit-il faire ?

*Remplacez le complément par un pronom ou un adverbe.*
*Exemple :* – Benoît ira au rendez-vous avec les urbanistes ? ➭ **– Oui, il ira.**
*Attention ! Pas de **y** avant **ira** et les formes du futur de **aller.***

**1** ▪ – Benoît s'occupera des urbanistes ? – ..............................................

**2** ▪ – Il s'occupera aussi des billets d'avion des parents de son amie ? – ...........

**3** ▪ – Benoît et les urbanistes sont montés en haut de la Grande Arche ? – ...........

**4** ▪ – Julie a téléphoné à Benoît ? – ........................................................

**5** ▪ – Benoît ira faire les courses ? – .......................................................

**⑪ Orthographe.**

*On forme le contraire de certains adjectifs en utilisant le préfixe in- ou im-.*
*Écrivez le contraire des adjectifs suivants.*
*Exemples :*  Complet ≠ **incomplet.**
                    Probable ≠ **improbable.**

**1** ▪ Juste     ≠ ...............................

**2** ▪ Utile     ≠ ...............................

**3** ▪ Patient  ≠ ...............................

**4** ▪ Prudent ≠ ...............................

**5** ▪ Discret  ≠ ...............................

**6** ▪ Parfait  ≠ ...............................

**7** ▪ Poli      ≠ ...............................

**8** ▪ Prévu    ≠ ...............................

**9** ▪ Exact   ≠ ...............................

**10** ▪ Fini    ≠ ...............................

**⑫ Ils font des projets.**

*Vous avez organisé les vacances de Noël de la famille. Vous écrivez à des amis pour leur parler de vos projets. Utilisez les indications ci-dessous.*

**Lieu de vacances :** Chamonix.
**Date d'arrivée :** le 21 décembre.
**Moyen de transport :** le TGV.
**Logement :** Hôtel des Alpes.

**Repas :** Restaurant des cimes.
**Excursions prévues :** les 22 et 27 décembre.
**Départ :** de Chamonix le 2 janvier.
**Retour :** à Paris le 2 janvier dans la soirée.

.........................................................................................................................
.........................................................................................................................
.........................................................................................................................
.........................................................................................................................
.........................................................................................................................
.........................................................................................................................
.........................................................................................................................

**⑬ Poésie.**

*Lisez ce poème de Jacques Prévert et ajoutez quelques vers avec des pronoms relatifs.*

**Le message**

*La porte que quelqu'un a ouverte*
*La porte que quelqu'un a refermée*
*La chaise où quelqu'un s'est assis*
*Le chat que quelqu'un a caressé*
*Le fruit que quelqu'un a mordu*
*La lettre que quelqu'un a lue*
*La chaise que quelqu'un a renversée*
*La porte que quelqu'un a ouverte*
*La route où quelqu'un court encore*
*Le bois que quelqu'un traverse*
*La rivière où quelqu'un se jette*
*L'hôpital où quelqu'un est mort.*

...............................................................
...............................................................
...............................................................
...............................................................
...............................................................
...............................................................

JACQUES PRÉVERT, *Paroles*, © Éditions Gallimard, 1947.

## Vocabulaire

### ① Équivalences.

*Associez les expressions de sens équivalent.*

| | | |
|---|---|---|
| **1** ▪ Se promener. | **a** ▪ Se rendre compte de. |
| **2** ▪ Rejoindre. | **b** ▪ Mettre fin à ses relations avec. |
| **3** ▪ Se décommander. | **c** ▪ Exercer une profession. |
| **4** ▪ S'apercevoir de. | **d** ▪ Aller retrouver. |
| **5** ▪ Faire un métier. | **e** ▪ Annuler un rendez-vous. |
| **6** ▪ Se fâcher avec. | **f** ▪ Faire un tour. |

### ② Nom ou adverbe ?

*Dites si les mots ci-dessous sont des noms (N) ou des adverbes (Adv) et indiquez le mot qui a servi à les composer.*

*Exemple : Avancement (N), de avancer. Bruyamment (Adv) de bruyant.*

**1** ▪ Pareillement (......) →.................................

**2** ▪ Arrangement (......) →.................................

**3** ▪ Évidemment (......) →.................................

**4** ▪ Découragement (......) →.................................

**5** ▪ Méchamment (......) →.................................

**6** ▪ Perfectionnement (......) →.................................

**7** ▪ Déménagement (......) →.................................

**8** ▪ Rapidement (......) →.................................

**9** ▪ Entraînement (......) →.................................

**10** ▪ Librement (......) →.................................

### ③ Trouvez le mot.

*Lisez la définition et trouvez le mot qu'elle définit.*

**1** ▪ Il a une galerie ou une boutique. Il vend des meubles et des objets anciens.

→.................................

**2** ▪ Il est situé au nord de Paris. Il est ouvert du vendredi au lundi. Il est composé de galeries et de boutiques d'antiquités. →.................................

**3** ▪ Il sert à présenter un exemple de séries d'objets à vendre. →.................................

**4** ▪ C'est une période de l'art moderne qu'on situe autour de 1930.

→.................................

**5** ▪ C'est la période de la vie qui succède à la période professionnelle active.

→.................................

## Grammaire

### ④ Formes du subjonctif.

*Pour chacun des infinitifs suivants, donnez les premières personnes du singulier et du pluriel du subjonctif présent.*

*Exemple :* Faire. ⇨ **Que je fasse, que nous fassions.**

**1** ▪ Aller. ..............................................................................................................

**2** ▪ Pouvoir. ..........................................................................................................

**3** ▪ Être. ...............................................................................................................

**4** ▪ Avoir. ..............................................................................................................

**5** ▪ Vouloir. ...........................................................................................................

**6** ▪ Savoir. .............................................................................................................

### ⑤ Obligation.

*Qu'est-ce que ces personnes doivent faire (avoir le sens des responsabilités, prendre des initiatives, connaître des langues, savoir diriger une équipe, avoir le sens de l'organisation, être patient(e), être bon gestionnaire, savoir utiliser l'outil informatique…) ?*

*Exemple :*

⇨ **Il faut qu'elle arrive à l'heure, qu'elle range la boutique, qu'elle soit aimable avec les clients, qu'elle fasse des paquets…**

*la vendeuse*

**1** • *l'antiquaire*          **2** • *la secrétaire*          **3** • *le PDG*

**1** ▪ ..............................................................................................................

**2** ▪ ..............................................................................................................

**3** ▪ ..............................................................................................................

### ⑥ *Vouloir + infinitif.*

*Le sujet du verbe* **vouloir** *et celui du deuxième verbe sont les mêmes.*

*Exemple :* Nous – aller au théâtre.

⇨ **Nous voulons aller au théâtre.**

**1** ▪ Toi – assister à la fête. ...................................................................................

**2** ▪ Vous – choisir un thème. ................................................................................

**3** ▪ Lui – décorer sa boutique. ..............................................................................

**4** ▪ Elle – rapporter des commandes. ....................................................................

**5** ▪ Eux – te donner un coup de main. ...................................................................

## ⑦ Subjonctif ou infinitif ?

*Complétez les phrases avec les verbes indiqués à la forme qui convient.*

**1** ▪ (Revenir.) – Je veux que tu ............................... avant huit heures.

– Je suis désolé, mais je ne peux pas ............................... avant huit heures.

**2** ▪ (Choisir.) – Je sais, mais elles ne veulent pas les ............................... tout de suite.

– Il faut qu'elles ............................... leurs dates de vacances dès maintenant.

**3** ▪ (Prendre.) Nous voulons que vous ............................... une décision rapidement.

– Je ne veux pas ............................... de décision rapide.

**4** ▪ (S'intéresser.) – Elle ne veut pas ............................... à son travail.

– Je voudrais qu'elle ............................... un peu plus à son travail.

**5** ▪ (Savoir.) – Il faut que nous ............................... ce qui s'est passé.

– Nous ne voulons pas ............................... ce qui s'est passé.

## ⑧ Mise en valeur.

*Transformez les phrases comme dans les exemples.*
*Exemples :* Il cherchait ce motif. ➪ **C'est ce motif qu'il cherchait.**
Les foulards sont dans cette boutique. ➪ **C'est la boutique où sont les foulards.**

**1** ▪ Il lui reste ce foulard.

............................................................................................

**2** ▪ Elle vend bien ces objets.

............................................................................................

**3** ▪ Sa spécialité est l'Art déco.

............................................................................................

**4** ▪ Sa galerie est dans ce marché.

............................................................................................

**5** ▪ Son frère vend de l'art contemporain.

............................................................................................

## ⑨ Formes verbales.

*Mettez les verbes entre parenthèses au temps et au mode qui conviennent.*

La moitié des Français (déclarer) ............................... qu'ils (pratiquer)

............................... une activité artistique au cours de leur vie. Ces activités

(se développer) ............................... régulièrement surtout depuis les années 70.

Les parents (vouloir) ............................... que leurs enfants (faire) ...............................

de la musique, de la danse, des arts plastiques. De plus, ceux qui (pratiquer)

............................... ces activités (devenir) ............................... plus éclectiques.

Ils (souhaiter) ............................... (passer) ............................... souvent d'une activité

à l'autre. Il est possible aussi que la diminution du temps de travail

(laisser) ............................... plus de temps libre. Mais la raison principale de ces

changements (sembler) ............................... (être) ............................... que les gens

(essayer) ............................... d'équilibrer des activités professionnelles et personnelles et

qu'ils (avoir) ............................... un plus grand besoin de réalisation personnelle.

## ⑩ Quelle est la raison ?

*Donnez à chaque fois trois réponses : la première avec **parce que** + indicatif,
la deuxième avec **pour** + infinitif, la troisième avec **pour que** + subjonctif.*

**1** ▪ Pourquoi Mme Dutertre doit-elle aller à Bordeaux ?

    **a** ▪ (Volonté de son mari.) ..............................................................................................

    **b** ▪ (Ouverture d'une boutique.) ...................................................................................

    **c** ▪ (Être ensemble avec son mari.) .............................................................................

**2** ▪ Pourquoi M. Lesage veut-il que Julie passe à sa galerie ?

    **a** ▪ (Préparation de la fête annuelle.) .........................................................................

    **b** ▪ (Commande de foulards.) ......................................................................................

    **c** ▪ (Décoration de sa galerie.) ...................................................................................

**3** ▪ Pourquoi M. Lesage a-t-il besoin de cinquante foulards ?

    **a** ▪ (Fête annuelle proche.) .........................................................................................

    **b** ▪ (Création d'une ambiance 1930.) .........................................................................

    **c** ▪ (Couvrir les murs.) .................................................................................................

## Écriture

## ⑪ Orthographe

*Faites l'accord du participe passé.*

    **1** ▪ Ces fleurs, je les ai cherché...... .

    **2** ▪ Ce sont des matières qu'on nous a demandé...... .

    **3** ▪ Ces meubles, je les ai acheté...... il y a longtemps.

    **4** ▪ Cette veste, je ne l'ai pas mis...... depuis un an.

    **5** ▪ C'est une recette qu'un ami m'a donné...... .

## ⑫ Résumez et anticipez.

*Sur une feuille séparée, résumez l'épisode 23, puis imaginez une suite à partir des quatre
photos suivantes.*

> Enregistrez-vous et écoutez-vous prononcer.
> Comparez avec les enregistrements de la méthode. Travaillez vos intonations.

## Vocabulaire

**① Chassez l'intrus.**

   **1** ▪ Art – style – rouleau – période.

   **2** ▪ Dès que – pendant que – quand – pour que.

   **3** ▪ Thème – motif – unité – sujet.

   **4** ▪ En tout cas – en avance – en retard – à l'heure.

**② Locutions + subjonctif.**

*Trouvez les contraires.*

   **1** ▪ Il est sans importance que     ≠ ...................................................................

   **2** ▪ Il est inutile que     ≠ ...................................................................

   **3** ▪ Il est impossible que     ≠ ...................................................................

   **4** ▪ Il est anormal que     ≠ ...................................................................

   **5** ▪ Nous regrettons que     ≠ ...................................................................

**③ Quels sont ces lieux ?**

*Où allez-vous si vous voulez :*

   **1** ▪ acheter des objets anciens ? .................................................................

   **2** ▪ voir des objets créés par de jeunes artistes ? .................................................

   **3** ▪ admirer des tableaux de maîtres anciens et contemporains ? .............................

   **4** ▪ acheter des vêtements ? .......................................................................

## Grammaire

**④ Indicatif ou subjonctif ?**

*Mettez les verbes entre parenthèses au mode qui convient.*

J'espère que nos amis (venir) ............................... nous voir bientôt.

Je ne crois pas qu'ils (pouvoir) ............................... venir ce mois-ci, mais je souhaite

qu'ils (venir) ............................... le mois prochain. Je crains cependant

qu'ils (avoir) ............................... quelques problèmes. Il faut que leur fils

(faire) ............................... un stage dans une entreprise, mais ils ont peur que,

s'ils (partir) ..............................., il ne (pouvoir) ............................... pas se débrouiller

seul. Je doute qu'ils (vouloir) ............................... le laisser seul à la maison.

## ⑤ Indicatif ou subjonctif ?

*Exemple :* Vous êtes venus.

    ➪ **Je suis heureux que vous soyez venus.**

**1** ▪ J'ai fait votre connaissance. J'ai été heureux .....................................................................

**2** ▪ Vous avez fait bon voyage. Je suis content .....................................................................

**3** ▪ On ne vous a pas assez écoutés. Je suis certain .............................................................

**4** ▪ Je suis parti trop tôt. Je regrette ........................................................................................

**5** ▪ Vous nous avez quittés fâchés. Je suis désolé .................................................................

## ⑥ *Avoir peur* + **subjonctif.**

*C'est Julie qui parle.*

*Exemple :* Ses copines ne seront pas libres.

    ➪ **J'ai peur que ses copines ne soient pas libres.**

**1** ▪ Violaine n'aura pas le temps de faire cinquante foulards.

    .....................................................................................................................................

**2** ▪ Il n'y aura pas assez de soie.

    .....................................................................................................................................

**3** ▪ Les foulards ne feront pas vraiment Art déco.

    .....................................................................................................................................

**4** ▪ Les foulards ne plairont pas à M. Lesage.

    .....................................................................................................................................

**5** ▪ La fête n'aura pas lieu.

    .....................................................................................................................................

## ⑦ Exprimez un souhait.

*Exemple :* Ma maison n'est pas assez confortable.

    ➪ **Je voudrais qu'elle soit plus confortable.**

**1** ▪ Mon fils ne fait pas assez de sport.

    .....................................................................................................................................

**2** ▪ Notre fille n'est pas encore mariée.

    .....................................................................................................................................

**3** ▪ Ma voiture n'est pas assez puissante.

    .....................................................................................................................................

**4** ▪ Nos voisins ne sont pas aimables.

    .....................................................................................................................................

**5** ▪ Ils garent toujours leur voiture devant notre porte.

    .....................................................................................................................................

*Continuez. Trouvez d'autres sujets d'insatisfaction !*

    .....................................................................................................................................

    .....................................................................................................................................

    .....................................................................................................................................

    .....................................................................................................................................

## ⑧ Exprimez le doute.

*Exemple :* Quelqu'un – vouloir recouvrir le Sacré-Cœur (de Montmartre).
➪ **Je ne pense pas que quelqu'un veuille recouvrir le Sacré-Cœur.**

**1** ▪ Pouvoir traverser l'Atlantique à la nage.

..................................................................................................

**2** ▪ Vouloir monter à pied en haut de la tour Eiffel.

..................................................................................................

**3** ▪ Savoir parler vingt langues parfaitement.

..................................................................................................

**4** ▪ Traverser le Sahara à pied.

..................................................................................................

**5** ▪ Faire deux tours du monde en avion sans escale.

..................................................................................................


## ⑨ Exprimez le doute.

*Exemple :* Amélioration de la situation générale.
➪ **Ils ne croient pas que la situation générale s'améliore.**

**1** ▪ Diminution des inégalités.

..................................................................................................

**2** ▪ Fin des guerres.

..................................................................................................

**3** ▪ Création des États-Unis du monde.

..................................................................................................

**4** ▪ 15 heures de travail par semaine.

..................................................................................................

**5** ▪ Existence du Père Noël.

..................................................................................................


## ⑩ Exprimez le but.

*Transformez les phrases pour utiliser une proposition de but introduite par **pour** + infinitif ou par **pour que** + subjonctif selon les cas.*
*Exemple :* Si vous me téléphonez, je vous en garderai une grande quantité.
➪ **Il faut me téléphoner pour que je vous en garde une grande quantité.**

**1** ▪ Si je vous apporte des bijoux, vous les vendrez.

..................................................................................................

**2** ▪ Si vous me faites cinquante foulards, je décorerai mon magasin.

..................................................................................................

**3** ▪ Si je me décommande, je pourrai aller voir votre galerie.

..................................................................................................

**4** ▪ Si vous me faites un bon prix, je vous les achèterai.

..................................................................................................

> Cherchez des sites français sur Internet.
> Participez en français à des forums sur votre spécialité, vos passions…

## (11) Expressions suivies du subjonctif.

*Que faut-il faire pour apprendre le français ? Utilisez :* **Il faut que nous, il est important que, il est nécessaire que, il est utile que, il est préférable que.**

.................................................................................................................................
.................................................................................................................................
.................................................................................................................................

## Écriture

## (12) Les consonnes doubles.

*Complétez les mots avec une ou deux consonnes.*

**1** ▪ Di......iculté.          **6** ▪ Traditio...........e.

**2** ▪ Sty.......e.             **7** ▪ Su......ire.

**3** ▪ Co......ande.            **8** ▪ A......uler.

**4** ▪ Fourni......eur.         **9** ▪ Ba......re

**5** ▪ Ga......erie.

## (13) Lettre à l'éditeur.

*Écrivez une lettre à l'éditeur d'un journal intitulée* **Il faut que ça cesse !** *sur l'un des deux sujets suivants.*

**1** ▪ De nombreuses espèces animales sont en danger.

**2** ▪ L'énergie atomique peut devenir un danger mortel.

.................................................................................................................................
.................................................................................................................................
.................................................................................................................................
.................................................................................................................................
.................................................................................................................................
.................................................................................................................................
.................................................................................................................................
.................................................................................................................................

## (14) Récit.

*Écrivez un résumé, en une centaine de mots, de l'histoire de Julie, Benoît et Pascal.*

.................................................................................................................................
.................................................................................................................................
.................................................................................................................................
.................................................................................................................................
.................................................................................................................................
.................................................................................................................................
.................................................................................................................................
.................................................................................................................................

# Révision 3

## ① Un mauvais souvenir !

*Complétez avec les verbes entre parenthèses. Choisissez entre le passé composé et l'imparfait.*

Ce (être) ............................... il y a un an. Nous (passer) ...............................

l'été à la campagne. Nous (faire) ............................... souvent des sorties en voiture.

Nous (visiter) ............................... des châteaux et de vieux villages. Il (faire)

............................... beau. Tout (aller) ............................... bien. Un jour,

cependant, notre voiture (tomber) ............................... en panne en pleine campagne.

Il n'y (avoir) ............................... personne et le premier village (se trouver)

............................... à plusieurs kilomètres ! Nous ne (avoir)

............................... pas de téléphone portable. Nous (discuter)

............................... et c'est moi qui (devoir) ............................... aller chercher

un garagiste, sous le soleil. Je m'en souviendrai longtemps de cette balade à la campagne !

## ② De quel avis êtes-vous ?

*1) Vous êtes du même avis. Dites-le.*
*Exemple :* – Je n'ai pas acheté de vêtements samedi dernier.
⇨ **– Moi non plus.**

**a** ▪ – Je ne lui écris plus. – ...............................................................................

**b** ▪ – Je les vois souvent. – ...............................................................................

**c** ▪ – J'aime être habillée à la mode. – ...............................................................................

**d** ▪ – Je déteste conduire dans Paris. – ...............................................................................

**e** ▪ – J'ai eu mon permis de conduire du premier coup. – ...............................................................................

*2) Vous êtes d'avis contraire. Reprenez les phrases ci-dessus.*

**a** ▪ ...............................................................................

**b** ▪ ...............................................................................

**c** ▪ ...............................................................................

**d** ▪ ...............................................................................

**e** ▪ ...............................................................................

## ③ Imparfait ou passé composé ?

*Complétez les phrases avec les verbes entre parenthèses.*

**1** ▪ Quand ils (entrer) ..............................., tout le monde (se lever)

............................... .

**2** ▪ Quand il (faire) ............................... beau, ils (aller) ...............................

se promener à la campagne.

**3** ▪ L'an dernier, je (aller) ............................... plusieurs fois au théâtre.

**4** ▪ Hier, on les (attendre) ............................... pendant deux heures.

**5** ▪ Le mois dernier, quand nos amis (venir) ..............................., il (neiger)

............................... encore.

## ④ Pronoms démonstratifs.

*Complétez les phrases.*

**1** ▪ – Regarde ces voitures. Tu aimes ................. de droite ?

– Non, je préfère ................. de la vitrine.

– C'est la plus belle de toutes ................. de cette salle d'exposition.

**2** ▪ – Tiens, voilà des chaussures pour toi. ................., tu les aimes ?

– Non, ................. là-bas me paraissent mieux.

– Je suis déçue. Je pensais que tu aimais ................. .

## ⑤ Présent ou futur ?

*Mettez les verbes entre parenthèses au temps qui convient.*

**1** ▪ Quand tu (venir) ..............................., on (aller) ............................... visiter
la Bibliothèque nationale de France.

**2** ▪ Si tu (pouvoir) ............................... te libérer, on (assister)
............................... à un match au Stade de France à Saint-Denis.

**3** ▪ Pendant que tu (faire) ............................... les courses, je (terminer)
............................... ce travail.

**4** ▪ Si vous (partir), vous n' (oublier) ............................... pas de fermer toutes les portes.

## ⑥ Accord du participe passé après un pronom relatif.

*Répondez comme dans l'exemple et faites l'accord si nécessaire.*
*Exemple : – Nous avons vu ces gens ?*
    ⇨ **– Oui, ce sont les gens que nous avons vus.**

**1** ▪ – Nous sommes allés dans ce café ?

– ...............................................................................................................

**2** ▪ – Vous avez travaillé dans ce quartier ?

– ...............................................................................................................

**3** ▪ – Vous avez vu ces sculptures ?

– ...............................................................................................................

**4** ▪ – Vous avez rencontré ces urbanistes ?

– ...............................................................................................................

## ⑦ Subjonctif.

*Faites des phrases comme dans l'exemple.*
*Exemple : Il le fera, je le crois. ⇨ **Je ne crois pas qu'il le fasse.***

**1** ▪ Il ira, j'en ai peur.

...............................................................................................................

**2** ▪ Il viendra, j'en suis heureux.

...............................................................................................................

**3** ▪ Vas-y, c'est indispensable.

...............................................................................................................

**4** ▪ Partez, ils le souhaitent.

...............................................................................................................

# PROJET 1

## Organisez un festival

*Votre ville décide d'organiser un festival.*
*Vous faites partie du comité de sélection.*

*Vous devez faire :*

**1** ▪ la grille de programmation avec jours, heures,
titre des œuvres et lieux des représentations ;

**2** ▪ l'affiche du festival ;

**3** ▪ un texte de quelques lignes (type article de journal)
pour présenter le festival ;

**4** ▪ la présentation d'un(e) des artistes, des films,
des pièces de théâtre.

*Discutez en groupe pour savoir :*

- quel événement vous voulez célébrer ;
- quel festival vous voulez organiser (cinéma, théâtre,
  musique, danse…) ;
- pour qui (touristes nationaux ou étrangers, population
  locale, jeunes, moins jeunes, tous publics…) ;
- dans quel genre (classique, moderne, comique…) ;
- à quel moment de l'année (en été, en hiver…) ;
- quels lieux vous allez choisir (théâtres, places de la ville,
  cinémas…) ;
- comment vous allez organiser la publicité ;
- qui va vous aider financièrement…

Du mois de juin au mois de septembre, plus de 300 festivals, du plus modeste au plus prestigieux, sont offerts aux vacanciers.

Nées en 1985 pour aider les enfants de Tanzanie, les Francofolies sont devenues le festival de la chanson francophone. En 1998, pendant six jours, 150 artistes dans huit lieux de concert ont fait chanter des milliers de spectateurs.

## FÊTE

# *SINCLAIR*

Inspiré de la soul et du funk, ce jeune chanteur plein d'humour a déjà sorti trois albums : *La bonne attitude* (1993), *Que justice soit faite* (1995) et *Au mépris du danger* (1997). Pendant ses trois premières années de carrière, il a donné près de 300 concerts en France, en Europe et au Canada. On le retrouve ici sur la grande scène de La Rochelle.

# Faites connaître votre région !

*Vous êtes chargé(e) de la campagne de communication pour faire connaître l'une des régions de votre pays.*
*La campagne de communication doit contenir :*

**1** ▪ une annonce radio ;

**2** ▪ une plaquette de présentation avec textes et photos ;

**3** ▪ un article sur une spécialité locale.

*On divise la classe en groupes. Chaque groupe choisit une région et discute de ses intérêts : beauté des paysages, patrimoine culturel, hôtels, activités sportives, spécialités culinaires…*
*Le travail est réparti à l'intérieur de chaque groupe entre les participants.*

### De la terre à la mer
## La Bretagne
### vous offre détente, loisir et culture

Avec ses 3 000 km de côtes, sa nature sauvage, ses villes chargées d'histoire, ses multiples monuments, son passé millénaire, on comprend pourquoi la Bretagne est depuis longtemps une destination privilégiée pour les vacances. Vous y trouverez hôtels, campings, clubs de grande qualité, équipements sportifs de haut niveau et multiples attractions. Et n'oublions pas la gastronomie et les nombreuses spécialités locales : poissons, coquillages, agneaux de pré-salé, galettes et far, le tout accompagné du fameux beurre salé.

### Découvrez
### un pays mystérieux et accueillant…

*Alignement de Lagatjar.*

*Calvaire de Pleyben.*

**ANNONCE RADIO**

Vous aimez le calme ou les activités sportives ?
Vous préférez la mer ou la campagne ?
Vous êtes attiré par l'histoire et la tradition ou par les beautés de la nature ?
Ne cherchez plus. La Bretagne a toutes les réponses et vous attend !

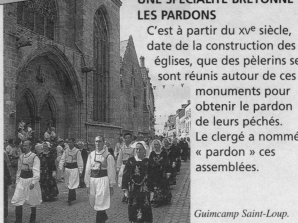

**UNE SPÉCIALITÉ BRETONNE : LES PARDONS**

C'est à partir du XVe siècle, date de la construction des églises, que des pèlerins se sont réunis autour de ces monuments pour obtenir le pardon de leurs péchés. Le clergé a nommé « pardon » ces assemblées.

*Guimcamp Saint-Loup.*

# L'écologie, ça vous concerne ?

*Vous collaborez à la rédaction d'un magazine qui prépare un grand dossier sur l'écologie.*

*Ce dossier doit contenir :*

**1** ▪ un sondage sur ce qui inquiète le plus les lecteurs ;

**2** ▪ un guide du bon citoyen écologique ;

**3** ▪ une affiche avec un slogan.

*Vous êtes chargé(e) d'écrire ce dossier.*

*On divise la classe en trois groupes. Chaque groupe est chargé de rédiger une des trois parties du dossier.*

---

### SONDAGE : Êtes-vous concerné(e) par l'écologie ?

**1   Quand vous jetez du papier :**
*a* Vous pensez aux arbres nécessaires pour la fabrication du papier.
*b* La destruction des forêts est sans importance pour vous.

**2   Quand vous faites vos courses dans un supermarché :**
*a* Vous prenez les sacs en plastique du supermarché.
*b* Vous utilisez votre propre sac à provisions.

---

*Continuez le test.*

Pensez à ces quelques exemples de problèmes écologiques : la pollution de l'air en ville, le bruit, les déchets ménagers et les déchets des usines, l'utilisation des produits chimiques dans l'agriculture, les centrales nucléaires, les accidents de pétroliers et les déchets des bateaux…

Pensez aussi aux nombreuses conséquences de ces problèmes : maladies (allergies, asthme, bronchite, cancer…), disparition d'espèces animales et végétales (mort des poissons dans les rivières et dans la mer…), catastrophes écologiques…

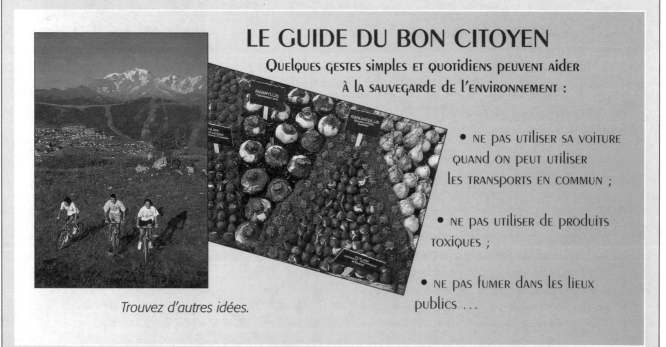

*Trouvez d'autres idées.*

## LE GUIDE DU BON CITOYEN

Quelques gestes simples et quotidiens peuvent aider à la sauvegarde de l'environnement :

• ne pas utiliser sa voiture quand on peut utiliser les transports en commun ;

• ne pas utiliser de produits toxiques ;

• ne pas fumer dans les lieux publics …

# Réalisez un mini-guide de Paris

*Vous êtes, comme Benoît, agent de voyages.
Votre agence vous charge de composer
une plaquette sur un aspect de Paris.
Dans la vidéo et dans ce manuel, vous avez
découvert quelques aspects de Paris. Mais il
vous reste encore beaucoup à découvrir.
Vous aurez besoin de chercher des compléments de documentation.
Voici quelques thèmes possibles :*

- *Paris et ses monuments ;*
- *Paris et ses musées ;*
- *Paris vu par les peintres (Pissarro, Monet,
  Utrillo, Marquet…) ;*
- *Paris vu de la Seine…*

*Formez des groupes en fonction des goûts et
des intérêts de chacun.
Chaque groupe devra :*

**1** ▪ rechercher de la documentation sur
le thème choisi ;

**2** ▪ répartir les tâches à l'intérieur du groupe
et organiser le travail. Chacun des
membres recevra une tâche particulière :
se documenter, écrire ou rendre visite aux
services compétents (alliances françaises,
instituts français, offices de tourisme…),
choisir les éléments et les photos à utiliser,
rédiger le texte, mettre en page…

**3** ▪ présenter la plaquette à la classe : raisons
du choix du thème et des éléments, étapes
du travail…

## UN BEAU MUSÉE

L'hôtel Salé, situé au cœur du Marais, est un
bel édifice construit au xviie siècle. Sa façade
monumentale et
son majestueux
escalier intérieur
en font un des
plus beaux
monuments de
Paris. Aujourd'hui,
il abrite la plus
grande collection au monde
des œuvres de Picasso. Le musée a ouvert
ses portes en 1985 et on peut y admirer l'œuvre
du maître présentée chronologiquement.

## UN MONUMENT À L'ART, AU LUXE, AU PLAISIR

Charles Garnier,
l'architecte chargé en
1858 par Napoléon III
de construire un nouvel
opéra, voulait édifier un
« monument à l'art,
au luxe, au plaisir ». Façade baroque,
arcades, sculptures à l'extérieur, marbre, escalier
majestueux, grands salons, salle de spectacle
rouge et or à l'intérieur, tout contribue à faire de
cette « cathédrale mondaine de la civilisation »
(Théophile Gautier) un temple du luxe et du plaisir.
Il a été reconverti en 1985 en palais de la Danse.

## LE PARIS DES PEINTRES

Si Paris a inspiré de nombreux
peintres, quelques noms resteront liés
à jamais à ses rues, à ses quartiers,
à ses monuments. Chacun a eu sa
vision d'un Paris en constante
évolution. Pour Pissarro (1830-1903),
c'était les grands boulevards.
Pour Marquet (1875-1947), Paris,
c'est surtout la Seine.

**Abréviations :**

| | |
|---|---|
| *n.* | nom |
| *adj.* | adjectif |
| *adv.* | adverbe |
| *conj.* | conjonction |
| *v.* | verbe |
| *form.* | formules |
| *prép.* | préposition |
| *pron. ind.* | pronom indéfini |
| *loc.* | locution |

| Dossier | Mot | Allemand | Anglais | Espagnol | Portugais | Grec |
|---|---|---|---|---|---|---|
| | | | **A** | | | |
| 4 (ii) | **à cause de,** prép. | wegen | because of | a causa de | por causa de | εξ αιτίας |
| 3 (ii) | **accent,** n. m. | Akzent | accent | acento | sotaque | προφορά |
| 6 (ii) | **accessoire,** n. m. | Zubehör | accessory | accesorio | acessório | αξεσουάρ |
| 6 (ii) | **accompagner,** v. | begleiten | to accompany | acompañar | acompanhar | συνοδεύω |
| 9 (ii) | **accuser (qq'un de qqch),** v. | anklagen | to accuse (sb of sth) | acusar (a alguien de algo) | acusar (alguém de algo) | κατηγορώ |
| 2 (ii) | **acheter,** v. | kaufen | to buy | comprar | comprar | αγοράζω |
| 0 | **acteur/actrice,** n. | Schauspieler/in | actor/actress | actor/actriz | actor/actriz | ηθοποιός |
| 3 (i) | **activité,** n. f. | Aktivität | activity | actividad | actividade | δραστηριότητα |
| 3 (ii) | **admirateur/ admiratrice,** n. | Bewunderer | admirer | admirador/a | admirador(a) | θαυμαστής-θαυμάστρια |
| 2 (i) | **adorable,** adj. | entzückend | adorable | adorable | adorável | αξιολάτρευτος |
| 2 (i) | **adorer,** v. | gern haben | to love | adorar | adorar | λατρεύω |
| 0 | **adresse,** n. f. | Adresse | address | dirección (señas) | endereço | διεύθυνση |
| 2 (ii) | **agaçant,** adj. | nervend | annoying | molesto (-a) | irritante | ενοχλητικό |
| 0 | **âge,** n. m. | Alter | age | edad | idade | ηλικία |
| 0 | **agent de voyages,** n. m. | Reiseagentur | travel agent | agente de viajes | agente de viagens | ταξιδιωτικός πράκτορας |
| 2 (i) | **aide,** n. f. | Hilfe | help | ayuda | ajuda | βοήθεια |
| 2 (ii) | **aimer,** v. | lieben | to love, like | gustar, amar | amar | αγαπάω, μ'αρέσει |
| 9 (i) | **aimer mieux,** v. | lieber haben | to prefer | preferir | preferir | προτιμώ |
| 3 (i) | **air, avoir l'-,** loc. | aussehen | to seem, look | parecer | parecer | φαίνομαι |
| 2 (i) | **ajouter,** v. | hinzufügen | to add | añadir | acrescentar | προσθέτω |
| 5 (ii) | **allée,** n. f. | Allee | path | alameda | alameda | αλέα |
| 2 (i) | **aller,** v. | gehen | to go | ir | ir | πάω, πηγαίνω |
| 6 (ii) | **aller bien (à),** v. | folgen | to suit | guedar bien | ficar bem | πάω ωραία |
| 8 (ii) | **allumer,** v. | anmachen | to light, switch on | encender | ligar | ανάβω |
| 1 (ii) | **alors,** adv. | also | then, so | entonces | então | λοιπόν, τότε |
| 0 | **ami,** n. m. | Freund | friend | amigo | amigo | φίλος |
| 3 (ii) | **amitié,** n. f. | Freundschaft | friendship | amistad | amizade | φιλία |
| 1 (i) | **amusant,** adj. | unterhaltend | amusing | divertido (-a) | divertido | διασκεδαστικό |
| 8 (i) | **amuser, s'-,** v. | amüsieren, sich | to have fun | divertir (se) | divertir-se | διασκεδάζω |
| 0 | **an,** n. m. | Jahr | year | año | ano | χρόνος |
| 0 | **animatrice,** n. f. | Betreuerin | activity leader | animadora | animadora | συντονίστρια δραστηριοτήτων |
| 2 (ii) | **anniversaire,** n. m. | Geburtstag | birthday | cumpleaños | aniversário | γενέθλια |
| 12 (ii) | **annuler,** v. | annulieren | to cancel | anular | anular | ακυρώνω |
| 12 (i) | **antiquaire,** n. m. | Antiquitätenhändler | antique dealer | anticuario | antiquário | αντικαίρ |
| 4 (ii) | **antivol,** n. m. | Diebstahlsicherung | anti-theft device | antirrobo | antifurto | αντικλεπτικό |
| 1 (ii) | **appartement,** n. m. | Appartement | flat | piso, apartamento | apartamento | διαμέρισμα |

| | | | | | |
|---|---|---|---|---|---|
| 6 (i) | **appeler (au téléphone)**, v. | anrufen | to call | llamar (por teléfono) | telefonar | τηλεφωνώ |
| 0 | **appeler, s'-**, v. | heissen | to be called | llamarse | chamar-se | ονομάζομαι |
| 6 (ii) | **apporter (à)**, v. | bringen | to bring | traer | trazer | φέρνω |
| 3 (i) | **apprendre**, v. | lernen | to learn | aprender | aprender | μαθαίνω |
| 4 (ii) | **apprenti**, n. m. | Lehrling | apprentice | aprendiz | aprendiz | μαθητευόμνος |
| 2 (ii) | **après**, prép. | nach | after | después | depois | μετά |
| 5 (i) | **après-midi**, n. m. | Nachmittag | afternoon | tarde | tarde | απόγευμα |
| 2 (i) | **argent**, n. m. | Geld | money | dinero/plata | dinheiro | χρήματα, λεφτά |
| 6 (i) | **argumentation**, n. f. | Begründung | argumentation | argumento | argumentação | επιχειρηματολογία |
| 8 (i) | **armoire**, n. f. | Schrank | cabinet | armario | armário | ντουλάπα |
| 8 (ii) | **arranger, s'-**, v. | arrangieren | to sort itself out | arreglarse | dar um jeito | τακτοποιούμαι |
| 1 (ii) | **arrêter**, v. | halten | to stop | parar, detenerse | parar | σταματώ |
| 5 (i) | **arriver (qqch à qq'un)**, v. | passieren | to happen (sth to sb) | ocurrir, suceder (algo a alguien) | acontecer (alguma coisa a alguém) | συμβαίνει |
| 8 (ii) | **arriver à**, v. | machen können | to manage (to do) | conseguir | conseguir (fazer) | καταφέρνω |
| 6 (ii) | **article, un -**, n. m. | Artikel | article, item | artículo | artigo, um | αντικείμενο προς πώληση |
| 0 | **artiste**, n. m. | Künstler | artist | artista | artista | καλλιτέχνης |
| 8 (i) | **ascenseur**, n. m. | Aufzug | lift | ascensor | elevador | ασανσέρ |
| 4 (i) | **asseoir, s'-**, v. | setzen, sich | to be sitting | sentarse | sentar-se | κάθομαι |
| 7 (i) | **assez**, adv. | genug | enough | bastante | basta | αρκετά |
| 10 (i) | **assurer**, v. | versichern | to assure | asegurar | assegurar ; garantir | βεβαιώνω |
| 5 (i) | **attendre**, v. | warten | to wait for | esperar | esperar | περιμένω |
| 4 (i) | **attention**, n. f. | Achtung | attention | cuidado | atenção | προσοχή |
| 11 (ii) | **attirer**, v. | anziehen | to attract | atraer | atrair | τραβάω |
| 8 (ii) | **attribution**, n. f. | Zuteilung | allocation | atribución | atribuição | διάθεση πράγματος |
| 1 (i) | **au revoir**, form. | auf Wiedersehen | goodbye | hasta la vista | até logo | γειά χαρά |
| 8 (ii) | **au-dessus de**, prép. | über | above | por encima de | em cima de | πάνω από |
| 1 (ii) | **aujourd'hui**, n./adv. | heute | today | hoy | hoje | σήμερα |
| 1 (i) | **aussi**, adv./conj. | auch | too, also | también | também | επίσης |
| 10 (ii) | **autant**, adv. | so viel | as much | tanto | o(a) mesmo(a) | εξ ίσου |
| 4 (ii) | **autour**, adv. | um | around | alrededor, en | em volta | γύρω |
| 12 (ii) | **avance, en -**, adv. | zu früh | early | torno | adiantado(a) | νωρίς |
| 10 (ii) | **avancer**, v. | vorwärts gehen | to advance, move | anticipadamente | avançar | προχωράω |
| 2 (i) | **avant de**, prép. | bevor | before | avanzar | antes de | πριν |
| 10 (ii) | **avant, en -**, adv. | los | forward | antes de | para a frente | μπροστά, μπρός |
| 10 (ii) | **avantager**, v. | bevorteilen | to give an advantage to | a delante aventajar | dar vantagem | δίνω πλεονέκτημα |
| 4 (ii) | **avec**, prép. | mit | with | con | com | με |
| 5 (i) | **avion**, n. m. | Flugzeug | aeroplane | avión | avião | αεροπλάνο |
| 10 (ii) | **avis**, n. m. | Meinung | opinion | opinión | opinião | γνώμη |
| 1 (ii) | **avoir**, v. | haben | to have | tener | ter | έχω |
| 8 (i) | **avoir à + inf.**, v. | müssen | to have (sth to do) | tener que | ter de + infinitivo | έχω να |
| 2 (i) | **avril**, n. m. | April | April | abril | Abril | απρίλιος |

# B

| | | | | | |
|---|---|---|---|---|---|
| 6 (i) | **baguette**, n. f. | Baguette | stick of French bread | barra (de pan) | pão francês fino e comprido | λεπτή φρατζόλα ψωμί |
| 8 (ii) | **balai**, n. m. | Besen | broom | escoba | vassoura | σκούπα |
| 3 (ii) | **banlieue**, n. f. | Vorort | suburb | afueras | subúrbio | προάστεια |
| 2 (i) | **banque**, n. f. | Bank | bank | banco | banco | τράπεζα |
| 10 (i) | **bas**, adj. | niedrig | low | bajo | baixo(a) | χαμηλό |
| 5 (ii) | **bassin**, n. m. | Becken | ornamental lake | estanque | lago (de jardim) | λιμνούλα |
| 4 (i) | **bâtiment**, n. m. | Gebäude | building | edificio | prédio | κτίριο, οίκημα |
| 10 (i) | **battre (un record)**, v. | schlagen | to break | batir | vencer | καταρρίπτω σπάω |

| 2 (ii) | **beau/belle,** adj. | schön | fine, beautiful | bonito(-a) | belo(a) | ωραίος-α, |
| 2 (ii) | **beaucoup,** adv. | viel | much, a lot | mucho | muito(a) | πολύ |
| 8 (i) | **bébé,** n. m. | Baby | baby | bebé, nene | bebé | μωρό |
| 2 (i) | **besoin,** n. m. | Bedürfnis | need | necesidad | necessidade | ανάγκη |
| 7 (ii) | **beurre,** n. m. | Butter | butter | mantequilla | manteiga | βούτυρο |
| 1 (ii) | **bien,** adv. | gut | well | bien | bem | καλά |
| 5 (i) | **bien entendu,** form. | selbstverständlich | of course | por supesto | claro | εννοείται |
| 2 (i) | **bien sûr,** form. | natürlich | certainly | desde luego, claro | claro | βέβαια |
| 2 (ii) | **bientôt,** adv. | bald | soon | pronto | brevemente | σύντομα |
| 2 (i) | **bienvenue,** n. f. | Willkommen | welcome | bienvenida | boas vindas | το καλώς όρισες |
| 7 (ii) | **bifteck,** n. m. | Bifsteak | steak | filete | bife | μπιφτέκι |
| 3 (ii) | **bijou,** n. m. | Schmuckstück | jewel | joya, alhaja | jóia | κόσμημα |
| 2 (i) | **billet (transport),** n. m. | Fahrschein | ticket | billete | bilhete | εισιτήριο |
| 5 (ii) | **billet (banque),** n. m. | Geldschein | (bank)note | billete | nota | χαρτονόμισμα |
| 5 (ii) | **bistrot,** n. m. | Bistrot | pub, café | bar, tasca | café, bar | απλό εστιατόριο |
| 3 (ii) | **blanc(he),** adj. | weiss | white | blanco(-a) | branco(a) | άσπρο-η |
| 7 (ii) | **blanquette,** n. f. | Blanquette | blanquette | guisado de carne | cozido de vitela ao molho branco | μοσχάρι βραστό |
| 3 (ii) | **bleu,** adj. | blau | blue | azul | azul | μπλέ |
| 7 (i) | **bleu,** adj. | rot, fast roh | very rare (steak) | vuelta y vuelta | malpassado | σχεδόν ωμό |
| 3 (ii) | **blond,** adj. | blond | blond | rubio(-a) | loiro (a) | ξανθό |
| 4 (i) | **bloquer,** v. | sperren | to block | bloquear | bloquear | μπλοκάρω |
| 8 (i) | **blouson,** n. m. | Blouson | blouson-style jacket | cazadora | casaco | μπουφάν |
| 5 (ii) | **bois,** n. m. | Wald | wood | bosque | bosque | ξύλο |
| 10 (ii) | **boisson,** n. f. | Getränk | drink | bebida | bebida | ποτό, αναψυκτικό |
| 11 (i) | **boîte,** n. f. | Schachtel | box | caja | caixa | κουτί |
| 1 (ii) | **bon,** adj. | gut | good | bueno(-a) | bom (boa) | καλός, καλά |
| 3 (i) | **bon courage,** form. | Mut | good luck | ¡ánimo! | boa sorte | κουράγιο ! |
| 0 | **bonjour,** form. | guten Tag | hello | buenos días | bom dia | καλημέρα |
| 6 (ii) | **boucherie,** n. f. | Metzgerei | butcher's shop | carnicería | talho | κρεοπωλείο |
| 6 (ii) | **boucle d'oreille,** n. f. | Ohrring | earring | pendiente | brinco | σκουλαρίκι |
| 6 (i) | **boulanger(-ère),** n. | Bäcker | baker | panadero (-ra) | padeiro(a) | φούρνος |
| 2 (ii) | **bouquet,** n. m. | Strauss | bunch, bouquet | ramo | ramalhete | μπουκέτο |
| 5 (ii) | **bout, au -,** adv. | am Ende von | at the end | al cabo, al final | no fim de | στην άκρη |
| 3 (ii) | **boutique,** n. f. | Boutique | shop | tienda | loja | μαγαζί |
| 8 (i) | **brancher,** v. | anschalten | to plug in | enchufar | ligar | βάζω στη μπρίζα |
| 4 (i) | **bravo,** form. | Bravo | well done ! | ¡bravo! | muito bem ! | μπράβο ! |
| 8 (ii) | **brochure,** n. f. | Brochure | brochure | folleto | brochura | έντυπο |
| 3 (ii) | **brun,** adj. | braun | brown, dark-haired | moreno (-a) | castanho(s) | μελαχροινό |
| 8 (ii) | **bruyant,** adj. | lärmend | noisy | ruidoso (-a) | barulhento(a) | θορυβώδες |
| 2 (i) | **bureau,** n. m. | Büro | office | despacho | escritório | γραφείο |
| 2 (ii) | **bureau,** n. m. | Schreibtisch | desk | escritorio | escritório | γραφείο |

# C

| 1 (ii) | **ça va ?,** form. | es geht ? | how are you ? | ¿qué tal? | como vai ? | πως πάει, πως είστε |
| 9 (i) | **cabine,** n. f. | Kabine | fitting room | probador | gabinete de provas | δοκιμαστήριο |
| 10 (i) | **cadeau,** n. m. | Geschenk | gift | regalo | presente ; prenda | δώρο |
| 2 (i) | **café,** n. m. | Kaffee | coffee | café | café | καφές |
| 5 (ii) | **calme,** adj. | ruhig | calm, quiet | tranquilo (-a) | calmo | ήσυχο |
| 7 (ii) | **camionnette,** n. f. | Lieferwagen | van | camioneta | camioneta | φορτηγάκι |
| 3 (i) | **campagne,** n. f. | Land | country(side) | campo | campo | εξοχή |
| 0 | **canadien,** adj. | kanadisch | Canadian | canadiense | canadiano | Καναδός |
| 5 (i) | **capitale,** n. f. | Hauptstadt | capital | capital | capital | πρωτεύουσα |
| 12 (ii) | **cas, en tout -,** adv. | auf jeden Fall | in any case | en todo caso | caso, em todo - | πάντως |
| 8 (ii) | **casier,** n. m. | Fach | filing cabinet | casillero | cacifo | αρχειοθήκη |
| 4 (i) | **casque,** n. m. | Helm | helmet | casco | capacete | κράνος |
| 10 (ii) | **casser,** v. | brechen | to break | romper | partir, quebrar | σπάω |

| | | | | | | |
|---|---|---|---|---|---|---|
| 12 (ii) | **causer**, v. | verursachen | to cause | causar | causar | προξενώ |
| 2 (i) | **ce matin**, adv. | heute Morgen | this morning | esta mañana | hoje de manhã | σήμερα πρωΐ |
| 3 (ii) | **ceinture**, n. f. | Gürtel | belt | cinturón | cinto | ζώνη |
| 0 | **célèbre**, adj. | berühmt | famous | famoso (-a) | célebre | διάσημο |
| 6 (ii) | **centaine**, n. f. | etwa hundert | about one hundred | centenar | centena | εκατοστή |
| 4 (i) | **centre**, n. m. | Zentrum | centre | centro | centro | κέντρο |
| 1 (ii) | **chacun**, pron.ind. | jeder | each one, everyone | cada uno (-a) | cada um | καθένας |
| 1 (ii) | **chambre**, n. f. | Zimmer | bedroom | habitación | quarto | δωμάτιο |
| 7 (ii) | **champignon**, n. m. | Pilz | mushroom | seta | cogumelo | μανιτάρι |
| 10 (i) | **champion**, n. m. | Sieger | champion | campeón | campeão(ã) | πρωταθλητής |
| 3 (ii) | **chance**, n. f. | Glück | luck | suerte | sorte | τύχη |
| 2 (i) | **chanteur (-se)**, n. | Sänger | singer | cantante | cantor(a) | τραγουδιστής-τρια |
| 5 (i) | **chargé (de)**, adj. | beauftragt | responsible (for) | encargado (-a) | encarregado(a) (de) | υπεύθυνος |
| 2 (ii) | **charmant**, adj. | charmant | charming | encantador (-a) | encantador (a) | χαριτωμένος |
| 5 (ii) | **château**, n. m. | Schloss | château, castle | castillo | castelo | πύργος |
| 1 (ii) | **chaud**, adj. | heiss | warm, hot | caliente | quente | ζεστό, (κάνει) ζέστη |
| 8 (i) | **chaudière**, n. f. | Heizkessel | boiler | caldera | aquecimento | σόμπα |
| 5 (ii) | **chauffeur**, n. m. | Chauffeur | driver | conductor | motorista | σωφέρ |
| 1 (ii) | **chef**, n. m. | Chef | chief, head | jefe | chefe | ο σέφ |
| 3 (ii) | **chemisier**, n. m. | Bluse | blouse | blusa | blusa | πουκάμισο γυναικείο |
| 2 (i) | **chèque**, n. m. | Scheck | cheque | cheque | cheque | επιταγή |
| 4 (i) | **cher**, adj. | teuer | expensive | caro (-a) | caro(a) | ακριβό |
| 1 (ii) | **chercher**, v. | suchen | to look for | buscar | procurar | ψάχνω |
| 6 (ii) | **chéri**, n. m. | Liebling | darling | querido (-a) | querido | αγαπημένος |
| 9 (i) | **cheveux**, n. m. | Haar | hair | cabellos | cabelo(s) | μαλλιά |
| 7 (ii) | **chèvre, fromage de -**, n. m. | Ziegenkäse | goat's cheese | cabra, queso de | cabra, um queijo de - | κατσικίσιο τυρί |
| 1 (i) | **chez**, prép. | bei | at (*sb's*) home | en casa de | em casa de | στο σπίτι |
| 8 (ii) | **choix**, n. m. | Wahl | choice | elección | escolha | επιλογή |
| 1 (ii) | **chose**, n. f. | Sache | thing | cosa | coisa | πράγμα |
| 12 (i) | **cinquantaine**, n. f. | etwa fünfzig | about fifty | cincuentena | cinquenta | πενηνταριά |
| 4 (i) | **circulation, en -**, n. f. | Verkehr | running | circulación | em funcionamento | σε κυκλοφορία |
| 9 (ii) | **clef, une -**, n. f. | Schlüssel | key | llave | chave, uma | κλειδί |
| 2 (i) | **client**, n. m. | Kunde | customer | cliente | cliente | πελάτης |
| 9 (i) | **coiffure**, n. f. | Frisur | hairstyle | peinado | penteado | κόμωση |
| 6 (ii) | **coin**, n. m. | Ecke | corner | esquina | esquina | γωνία |
| 2 (i) | **collègue**, n. m. | Kollege | colleague | compañero de trabajo | colega | συνάδελφος |
| 6 (ii) | **collier**, n. m. | Halskette | necklace | collar | colar | κολιέ |
| 10 (i) | **combat**, n. m. | Kampf | fight | combate | combate | αγώνας |
| 7 (i) | **commande**, n. f. | Bestellung | order | pedido, encargo | pedido, encomenda | παραγγελία |
| 1 (ii) | **comme**, prép. | wie | like | ¡qué! | como | ως, σαν |
| 7 (i) | **comme**, prép. | als | as | como | como | όπως |
| 3 (ii) | **commencer**, v. | beginnen | to start | empezar | começar | αρχίζω |
| 0 | **comment**, adv./conj. | wie | how | ¡cómo...! | como | πώς |
| 11 (ii) | **commercial(e)**, adj. | kommerziell | shopping | comercial | comercial | εμπορικό |
| 9 (ii) | **commissariat**, n. m. | Kommissariat | police station | comisaría | comissariado | αστυνομικό τμήμα |
| 4 (i) | **commun**, adj. | gemeinsam | common, public (transport) | general | público (transporte) | κοινά (μέσα συγκοινωνίας) |
| 6 (ii) | **complet**, adj. | komplett | full | completo (-a) | completo(a) | πλήρης |
| 2 (i) | **comprendre**, v. | verstehen | to understand | comprender | compreender | καταλαβαίνω |
| 7 (i) | **compris**, adj. | inbegriffen | included | incluido (-a) | incluído | συμπεριλαμβανόμενο |
| 0 | **compter**, v. | zählen | to count | contar | contar | μετράω |
| 11 (i) | **confiance**, n. f. | Vertrauen | trust | confianza | confiança | εμπιστοσύνη |
| 5 (ii) | **confortable**, adj. | bequem | comfortable | confortable | confortável | άνετο |
| 5 (i) | **connaissance, faire -**, n. f. | kennenlernen | to meet | encontrar | conhecê-lo (la) | γνωριμία |
| 1 (ii) | **connaître**, v. | kennen | to know | conocer | conhecer | γνωρίζω, ξέρω |
| 5 (ii) | **conservateur**, n. m. | Konservator | warden | conservador | conservador | συντηρητής |

| | | | | | |
|---|---|---|---|---|---|
| 10 (i) | **construction**, n. f. | Bau | construction | construcción | construção | ανάπτυξη |
| 4 (i) | **content**, adj. | zufrieden | pleased | contento (-a) | contente | ευχαριστημένος |
| 1 (ii) | **continuer**, v. | weitermachen | to continue | seguir | continuar | συνεχίζω |
| 2 (ii) | **contre**, prép. | gegen | against | contra | contra | εναντίον |
| 12 (ii) | **copine**, n. f. | Freundin | (girl)friend | amiga, camarada | amiga | φιλενάδα |
| 10 (ii) | **corps, le -**, n. m. | Körper | body | cuerpo | corpo, o - | σώμα |
| 10 (i) | **correspondre**, v. | entsprechen | to correspond | corresponder | corresponder | αντιστοιχώ |
| 8 (i) | **costume**, n. m. | Anzug | suit | traje | fato | κοστούμι |
| 2 (i) | **côté, à -**, prép. | neben | next door | junto a | ao lado | πλάϊ, δίπλα |
| 9 (ii) | **coucher**, v. | zu Bett gehen | to go to bed | echarse, tumbarse | deitar(-se) | ξαπλώνω |
| 8 (i) | **couloir**, n. m. | Gang | corridor | pasillo | corredor | διάδρομος |
| 8 (ii) | **coup de main**, n. m. | Hand, gehen zur | help, a hand | ayuda, una mano | ajuda, uma mão | χέρι βοηθείας |
| 7 (ii) | **courageux**, adj. | mutig | courageous | valeroso (-a) | corajoso(a) | γενναίος |
| 2 (ii) | **courrier**, n. m. | Post | mail | correo | correspondência | ταχυδρομείο |
| 3 (i) | **courses, des -**, n. f. | Einkäufe | shopping | compras | compras | ψώνια |
| 8 (i) | **coursier**, n. m. | Bote | courier | mensajero | estafeta | μεταφορέας, κούριερ |
| 7 (ii) | **coûter**, v. | kosten | to cost | costar | custar | κοστίζει |
| 5 (i) | **couvert**, n. m. | Platz (im Restaurant) | place (in a restaurant) | cubierto | lugar (em um restaurante) | κουβέρ |
| 10 (ii) | **couvrir**, v. | bedecken | to cover | cubrir | cobrir ; proteger | προστατεύω |
| 3 (ii) | **cravate**, n. f. | Schlips | tie | corbata | gravata | γραβάτα |
| 3 (ii) | **créateur/créatrice**, n. | Schöpfer | creator, artist | creador/a | criador (a) | δημιουργός |
| 3 (ii) | **créer**, v. | schaffen | to create | crear | criar | δημιουργώ |
| 7 (ii) | **crème**, n. f. | Creme | cream | nata | nata | κρέμα |
| 9 (i) | **critiquer**, v. | kritisieren | to criticize | criticar | criticar | (κατα)κρίνω |
| 3 (ii) | **cuir**, n. m. | Leder | leather | cuero | couro | δέρμα |
| 1 (ii) | **cuisine**, n. f. | Küche | kitchen | cocina | cozinha | κουζίνα |
| 1 (ii) | **cuisinier(-ère)**, n. | Koch | cook | cocinero (-a) | cozinheiro(a) | μάγειρας-ισσα |
| 7 (i) | **cuit (steak)**, adj. | gekocht, durch | cooked, well done | cocido (-a) | bem passado | ψημένο |
| 11 (ii) | **culturel(le)**, adj. | kulturell | cultural | cultural | cultural | πολιτιστικό-ή |
| 5 (i) | **curieux**, adj. | neugierig | inquisitive | curioso (-a) | curioso (a) | περίεργος, ανακριτικός |

# D

| | | | | | |
|---|---|---|---|---|---|
| 1 (i) | **d'accord**, form. | einverstanden | in agreement | de acuerdo | de acordo | σύμφωνος |
| 1 (i) | **dans**, prép. | in | in | en | em | σε, μέσα |
| 4 (ii) | **danse**, n. f. | Tanz | dance, dancing | baile, danza | dança | χορός |
| 5 (ii) | **de chaque côté de**, prép. | beiderseits | on either side of | a cada lado de | de cada lado | από κάθε πλευρά |
| 4 (i) | **de la part de**, prép. | von | from | de parte de | da parte de | εκ μέρους |
| 9 (ii) | **déborder**, v. | übertreten | to stick out over | desbordar | ultrapassar | εξέχω |
| 11 (ii) | **déchargé**, adj. | entladen | gone flat | descargado (-a) | descarregado(a) | αδειάζω |
| 12 (i) | **décommander, se -**, v. | absagen | to cancel | cancelar, anular | anular | ακυρώνω |
| 3 (ii) | **décorer**, v. | dekorieren | to decorate | decorar | decorar | διακοσμώ, στολίζω |
| 3 (i) | **décourager, se -**, v. | entmutigen, sich | to lose heart | desanimar (-se) | desanimar | αποθαρρύνομαι |
| 9 (ii) | **défendre**, v. | verteidigen | to stick up (for sb) | defender | defender | παίρνω το μέρος |
| 2 (i) | **déjà**, adv. | schon | already | ya | já | ήδη, κιόλας |
| 2 (ii) | **déjeuner**, n. m. | Frühstück | lunch | almuerzo | almoço | γεύμα |
| 4 (ii) | **demain**, adv. | morgen | tomorrow | mañana | amanhã | αύριο |
| 2 (i) | **demander**, v. | bitten, fragen | to ask for | pedir | pedir | ζητώ |
| 10 (ii) | **demander**, v. | fordern | to require, need | exigir | pedir ; exigir | χρειάζομαι |
| 6 (i) | **démarchage**, n. m. | Verkauf an Haustür | door-to-door selling | venta a domicilio | venda a domicílio | πώληση πόρτα-πόρτα |
| 6 (ii) | **déménager**, v. | umziehen | to move (house) | mudarse | mudar-se | μετακομίζω |
| 5 (i) | **demoiselle**, n. f. | Fräulein | young lady | señorita | senhorita | δεσποινίς |
| 6 (i) | **démonstration**, n. f. | Vorführung | demonstration | demostración | demonstração | επίδειξη |
| 1 (i) | **dentiste**, n. m. | Zahnarzt | dentist | dentista | dentista | οδοντογιατρός |
| 9 (i) | **dépasser**, v. | überholen | to stick out over | sobrepasar | ultrapassar | βγαίνω, εξέχω |

| | | | | | |
|---|---|---|---|---|---|
| 2 (ii) | **dépécher, se -,** v. | beeilen, sich | to hurry up | apresurar (-se) | apressar-se | βιάζομαι |
| 3 (i) | **depuis,** prép. | seit | since | desde | desde | από |
| 5 (ii) | **déranger,** v. | stören | to bother | molestar | incomodar | ενοχλώ |
| 5 (ii) | **derrière,** prép. | hinter | behind | detrás de | atrás | πίσω |
| 12 (ii) | **dès que (+ ind.),** conj. | sobald | as soon as | tan pronto como | assim que (+ futuro do subjuntivo) | μόλις |
| 3 (i) | **désolé,** adj. | tut mir leid | sorry | lo siento | sinto muito | λυπάμαι |
| 7 (i) | **dessert,** n. m. | Nachtisch | dessert | postre | sobremesa | επιδόρπιο |
| 8 (ii) | **dessus,** adv. | über | on (top) | encima | sobre | από πάνω |
| 3 (i) | **deuxième,** adj. | zweite | second | segundo (-a) | segundo(a) | δεύτερο |
| 4 (i) | **devant,** prép. | vor | in front of | delante de | diante | μπροστά |
| 6 (i) | **devenir,** v. | werden | to become | convertirse en | tornar-se | γίνομαι |
| 7 (i) | **devise,** n. f. | Devise | motto | lema | lema | έμβλημα |
| 9 (i) | **devoir,** v. | sollen, müssen | must, to have | deber | ter de ; dever | πρέπει να |
| 1 (ii) | **difficile,** adj. | schwierig | difficult | difícil | difícil | δύσκολος |
| 5 (i) | **dîner,** v. | zu Abend essen | dinner | cenar | jantar | δείπνο |
| 4 (i) | **directeur,** n. m. | Direktor | director | director | director(a) | διευθυντής |
| 12 (ii) | **discuter,** v. | diskutieren | to discuss, haggle | discutir | discutir | συζητώ |
| 4 (ii) | **disponible,** adj. | verfügbar | ready (to help) | disponible | disponível | διαθέσιμος |
| 11 (i) | **documentation,** n. f. | Dokumentation | information, literature | documentación | documentação | έντυπα πληροφόρησης |
| 6 (i) | **doigt,** n. m. | Finger | finger | dedo | dedo | δάχτυλο |
| 10 (ii) | **dommage, c'est -,** form. | schade | it's a pity | es una pena | pena, é - | κρίμα |
| 3 (i) | **donner,** v. | geben | to give | dar | dar | δίνω |
| 5 (i) | **dormir,** v. | schlafen | to sleep | dormir | dormir | κοιμάμαι |
| 8 (i) | **dossier,** n. m. | Akte | file | expediente | processo (volume) | φάκελλος |
| 7 (ii) | **douzaine,** n. f. | Dutzend | dozen | docena | dúzia | δωδεκάδα |
| 9 (ii) | **drame,** n. m. | Drama | fuss, drama | drama | drama | δράμα |
| 3 (i) | **droit,** n. m. | Recht | law | derecho | direito | δίκαιο, νομικά |
| 11 (ii) | **dur,** adj. | hart | hard, difficult | duro (-a), difícil | duro(a) | δύσκολο, σκληρό |
| 4 (ii) | **dynamique,** adj. | dynamisch | dynamic | dinámico (-a) | dinâmico | δυναμικός |

# E

| | | | | | |
|---|---|---|---|---|---|
| 7 (i) | **eau,** n. f. | Wasser | water | agua | água | νερό |
| 12 (i) | **échantillon,** n. m. | Probe | sample | muestra | amostra | δείγμα |
| 10 (ii) | **échecs, les -,** n. m. | Schachspiel | chess | ajedrez | xadrez | σκάκι |
| 3 (i) | **efficace,** adj. | wirkungsvoll | efficient | eficaz | eficaz | αποτελεσματικό |
| 5 (i) | **élégant,** adj. | elegant | elegant | elegante | elegante | κομψό |
| 4 (i) | **embouteillage,** n. m. | Stau | traffic jam | alasco | engarrafamento | μποτιλιάρισμα |
| 2 (i) | **emmener,** v. | mitnehmen | to take | llevar | levar | παίρνω μαζί |
| 1 (i) | **employé,** n. m. | Angestellte | employee, worker | empleado | empregado | υπάλληλος |
| 9 (ii) | **en fait,** adv. | in Wirklichkeit | in fact | de hecho | na realidade | στην ουσία |
| 1 (i) | **enchanté !,** form. | erfreut | delighted ! | ¡encantado! | encantado (a) | χαίρω πολύ |
| 2 (ii) | **encore,** adv. | noch | still | todavía | ainda | ακόμα |
| 8 (ii) | **endroit,** n. m. | Ort | place | sitio, lugar | lugar | μέρος |
| 11 (ii) | **énerver, (s'-),** v. | aufregen, sich | to get annoyed | poner (-se) | irritar(-se) | εκνευρίζομαι |
| 3 (i) | **enfant,** n. m. | Kind | child | niño | criança | παιδί |
| 1 (i) | **enfin,** adv. | endlich | well, actually | por último | enfim | τέλος πάντων |
| 9 (ii) | **enlever,** v. | wegnehmen | to take off | quitar (-se) | tirar | αφαιρώ |
| 3 (i) | **enquête,** n. f. | Untersuchung | survey | encuesta | pesquisa | έρευνα |
| 4 (ii) | **ensemble,** adv. | zusammen | together | juntos | juntos | μαζί |
| 7 (i) | **entendre, s'- (avec qq'un),** v. | verstehen, sich | to get on (with sb) | ponerse de acuerdo | entender-se (com alguém) | συνεννοούμαι |
| 10 (ii) | **entraînement,** n. m. | Training | training | entrenamiento | treino | εξάσκηση |
| 7 (i) | **entrecôte,** n. f. | Rippenstück | entrecôte steak | entrecote | entrecosto | μπριζόλα |
| 2 (ii) | **entrer,** v. | hineingehen | to come in | entrar | entrar | μπαίνω, περνάω |
| 10 (i) | **envie, avoir - de,** loc. | Lust haben | to want (to do) | apetecer | vontade, ter - de | επιθυμώ |

| | | | | | |
|---|---|---|---|---|---|
| 11 (i) | **environs, les -,** n. m. pl. | Umgebung | surroundings | alrededores | arredores | περίχωρα |
| 0 | **épeler,** v. | buchstabieren | to spell | deletrear | soletrar | ένα-ένα τα γράμματα |
| 7 (i) | **équipe,** n. f. | Mannschaft | team | equipo | equipa | ομάδα |
| 8 (ii) | **erreur,** n. f. | Irrtum | mistake | error | erro | λάθος |
| 2 (i) | **escale,** n. f. | Zwischenlandung | stopover | escala | escala | στάση |
| 2 (ii) | **espérer,** v. | hoffen | to hope | esperar | esperar | ελπίζω |
| 9 (i) | **essayer,** v. | probieren | to try on | probar(-se) | provar | δοκιμάζω |
| 5 (i) | **essouflé,** adj. | ausser Atem | out of breath | jadeante | ofegante | λαχανιασμένος |
| 7 (ii) | **étiquette,** n. f. | Schild | label | etiqueta | etiqueta | ετικέτα |
| 8 (ii) | **étranger,** n. m. | Ausländer | overseas, foreign countries | extranjero (-a) | estrangeiro | ξένος |
| 3 (i) | **études,** n. f. | Studium | studies | estudios | estudos | σπουδές |
| 0 | **étudiant,** n. m. | Student | student | estudiante | estudante | φοιτητής |
| 8 (ii) | **évidemment,** adv. | offensichtlich | obviously | evidentemente | evidentemente | εννοείται |
| 10 (i) | **exactement,** adv. | genau | precisely, exactly | exactamente | exactamente | ακριβώς |
| 4 (ii) | **exagérer,** v. | übertreiben | to exaggerate | exagerar | exagerar | υπερβάλλω |
| 6 (ii) | **expliquer (à),** v. | erklären | to explain | explicar | explicar | εξηγώ |
| 3 (i) | **exposition,** n. f. | Ausstellung | exhibition | exposición | exposição | έκθεση |
| 7 (ii) | **extra,** adj. | extra | extraordinary | extraordinario (-a) | extraordinário | έξτρα |

# F

| | | | | | |
|---|---|---|---|---|---|
| 3 (ii) | **fabriquer,** v. | herstellen | to make | fabricar | fabricar | κατασκευάζω |
| 3 (i) | **fac(ulté),** n. f. | Uni(versität) | university | facultad | faculdade | πανεπιστήμιο |
| 5 (ii) | **face, en - de,** prép. | gegenüber | opposite | frente a | na frente de | απέναντι |
| 2 (ii) | **fâché,** adj. | gekränkt | angry | enfadado (-a) | zangado(a) | θυμωμένος |
| 3 (i) | **facile,** adj. | leicht | easy | fácil | fácil | εύκολο |
| 1 (ii) | **faim,** n. f. | Hunger | hunger | hambre | fome | πείνα |
| 3 (i) | **faire,** v. | machen | to do | hacer | fazer | κάνω |
| 4 (i) | **faire beau,** v. | sein schönes Wetter | to be fine weather | hacer buen tiempo | fazer bom tempo | κάνει καλό καιρό |
| 10 (i) | **faire garder,** v. | aufpassen lassen | to have (sb) look after (sb/sth) | cuidar (de) | tomar conta (de alguém) | φυλάω |
| 8 (i) | **fait, au -,** adv. | übrigens | by the way | por cierto | então | εδώ που τα λέμε |
| 12 (ii) | **fameux (-euse),** adj. | berühmt | famous | famoso (-a) | famoso(a) | περίφημο |
| 7 (ii) | **farine,** n. f. | Mehl | flour | harina | farinha | αλεύρι |
| 7 (i) | **fatigant,** adj. | ermüdend | tiring | fatigoso (-a) | cansativo | κουραστικό |
| 7 (i) | **faute,** n. f. | Fehler | fault | falta | culpa | λάθος |
| 1 (ii) | **femme de ménage,** n. f. | Putzfrau | cleaning lady | criada | mulher a dias | παραδουλεύτρα |
| 8 (ii) | **fenêtre,** n. f. | Fenster | window | ventana | janela | παράθυρο |
| 4 (i) | **fermer,** v. | schliessen | to close | cerrar | fechar | κλείνω |
| 7 (i) | **fermier,** adj. | Bauern- | farmhouse | de granja | caseiro | αγρότης |
| 2 (ii) | **fête,** n. f. | Fest | party | fiesta | festa | γιορτή |
| 6 (i) | **feu rouge,** n. m. | Ampel | traffic light | semáforo | semáforo | φώτα (κυκλοφορίας) |
| 7 (ii) | **filer,** v. | weggehen | to rush off | encaminarse | partir às pressas | τρέχω |
| 6 (i) | **fils,** n. m. | Sohn | son | hijo | filho | γυιός |
| 10 (ii) | **fin, la -,** n. f. | Ende | end | fin, final | fim, o - | τέλος |
| 6 (i) | **finalement,** adv. | endlich | in fact | finalmente | finalmente | τελικά |
| 2 (ii) | **fleur, une -,** n. f. | Blume | flower | flor | flor | λουλούδι |
| 8 (i) | **fond, au - de,** prép. | am Ende von | at the end of | al fondo de | no fundo de | στο βάθος |
| 10 (i) | **fort (en),** adj. | gut (in) | good (at) | experto (-a) en | bom (em) | δυνατός |
| 10 (ii) | **fou (échecs),** n. m. | Läufer | bishop | alfil | bispo | τρελλός |
| 4 (i) | **fou/folle,** adj. | verrückt | crazy | loco (-a) | louco(a) | τρελλός |
| 3 (ii) | **foulard,** n. m. | Schal | (head)scarf | bufanda | lenço (de pescoço) | φουλάρι |
| 6 (ii) | **fournisseur,** n. m. | Lieferer | supplier | proveedor | fornecedor | προμηθευτής |
| 9 (ii) | **fourrière,** n. f. | Platz für abgeschleppte Autos | (car) pound | depósito municipal | depósito (de carros apreendidos) | χώρος κατασχεμένων αυτοκινήτων |

| | | | | | | |
|---|---|---|---|---|---|---|
| 3 (ii) | **frère,** n. m. | Bruder | brother | hermano | irmão | αδελφός |
| 1 (ii) | **froid,** adj. | kalt | cold | frío (-a) | frio | κρύο |
| 7 (i) | **fromage,** un -, n. m. | Käse | cheese | queso | queijo | τυρί |
| 7 (ii) | **fruit,** n. m. | Obst | fruit | fruta | fruta | φρούτο |

# G

| | | | | | | |
|---|---|---|---|---|---|---|
| 7 (i) | **gâchis,** n. m. | Vergeudung | waste | estropicio | estrago | σπατάλη |
| 10 (i) | **gagner,** v. | gewinnen | to win | ganar | ganhar | κερδίζω |
| 12 (i) | **galerie,** n. f. | Galerie | gallery | galería | galeria | γκαλερί |
| 6 (ii) | **garage,** un -, n. m. | Garage | garage | garaje | uma garagem | γκαράζ |
| 1 (ii) | **garçon,** n. m. | Junge | boy, young man | chico, muchacho | rapaz | νεαρός, αγόρι |
| 7 (i) | **garçon de café,** n. m. | Ober | waiter | camarero | empregado | γκαρσόνι |
| 5 (i) | **garder,** v. | behalten | to keep, reserve | guardar | manter, reservar | φυλάω |
| 4 (ii) | **garer,** v. | parken | to park | aparcar | estacionar | παρκάρω, σταθμεύω |
| 2 (ii) | **gâteau,** n. m. | Kuchen | cake | pastel | bolo | γλυκό |
| 7 (i) | **gazeux(-euse),** adj. | kohlensäurehaltig | sparkling | con gas | com gás | με ανθρακικό |
| 10 (ii) | **genou(x),** n. m. | Knie | knee(s) | rodilla (s) | joelho(s) | γόνατο-α |
| 2 (ii) | **gens,** n. m. pl. | Leute | people | gente | gente | κόσμος |
| 1 (ii) | **gentil,** adj. | nett | nice | amable | gentil | συμπαθητικός |
| 6 (ii) | **goût,** n. m. | Geschmack | taste | gusto, sabor | gosto | γεύση |
| 1 (ii) | **grand(e),** adj. | gross | big | grande | grande | μεγάλος-η |
| 2 (ii) | **grave,** adj. | schlimm | serious | grave | grave | σοβαρός |
| 4 (i) | **grève,** n. f. | Streik | strike | huelga | greve | απεργία |
| 12 (ii) | **gros(se),** adj. | dick | big | grande | grande | χοντρό-ή |
| 3 (i) | **guitare,** n. f. | Guitarre | guitar | guitarra | guitarra | κιθάρα |

# H

| | | | | | | |
|---|---|---|---|---|---|---|
| 5 (i) | **habiller,** s'-, v. | anziehen, sich | to get dressed | vestir (-se) | vestir-se | ντύνομαι |
| 1 (i) | **habiter,** v. | wohnen | to live | vivir | morar | κατοικώ |
| 7 (ii) | **habitude, d'-,** loc. | Gewohnheit | usually | habitualmente | de costume | συνήθως |
| 7 (ii) | **haricot,** n. m. | Bohne | bean | judía, alubia | feijão | φασόλι |
| 10 (i) | **haut,** adj. | hoch | high | alto (-a) | alto(a) | ψηλός |
| 5 (ii) | **hectare,** un -, n. m. | Hektar | hectare | hectárea | hectare | εκτάριο |
| 1 (ii) | **heure,** n. f. | Stunde | time, hour | hora | hora | ώρα |
| 1 (ii) | **heureux(-se),** adj. | glücklich | happy | feliz | feliz | ευτυχισμένος-η |
| 5 (i) | **hier,** adv. | gestern | yesterday | ayer | ontem | εχθές |
| 8 (ii) | **hiver,** n. m. | Winter | winter | invierno | inverno | χειμώνας |
| 10 (ii) | **hockey,** n. m. | Hockey | hockey | hochey | hóquei | χόκεϋ |
| 1 (ii) | **homme,** n. m. | Mensch / Mann | man | hombre | homem | άνδρας |
| 5 (ii) | **hôtel,** n. m. | Hotel | hotel | hotel | hotel | ξενοδοχείο |
| 4 (ii) | **humeur,** n. f. | Humor | mood | humor | humor | διάθεση |

# I

| | | | | | | |
|---|---|---|---|---|---|---|
| 1 (i) | **ici,** adv. | hier | here | aquí | aqui | εδώ |
| 2 (ii) | **idée,** n. f. | Idee | idea | idea | ideia | ιδέα |
| 4 (ii) | **immeuble,** un -, n. m. | Gebäude | building | edificio | prédio | πολυκατοικία |
| 3 (ii) | **important,** adj. | wichtig | important | importante | importante | σημαντικό |
| 4 (ii) | **impressionnant,** adj. | beeindruckend | impressive | impresionante | impressionante | εντυπωσιακό |
| 2 (i) | **incroyable,** adj. | unglaublich | unbelievable | increíble | incrível | απίστευτο |
| 4 (ii) | **indemnité, une -,** n. f. | Entschädigung | allowance | indemnizacion | subsídio | αποζημείωση |
| 5 (ii) | **indiquer,** v. | anzeigen | to give, show | indicar | indicar | δείχνω |
| 4 (i) | **informations, les -,** n. f. | Nachrichten | news | nolicias | notícias | ειδήσεις, τα νέα |
| 4 (i) | **inquiéter, s'-,** v. | sorgen, sich | to worry | inquietar (-se) | preocupar(-se) | ανησυχώ |
| 2 (ii) | **inséparable,** adj. | unzertrennlich | inseparable | inseparable | inseparável | αχώριστος |
| 6 (i) | **insister,** v. | beharren | to insist | insistir | insistir | επιμένω |
| 12 (i) | **inspirer, s'- (de),** v. | anregen, sich | to draw inspiration | inspirarse en | inspirar(-se) em | εμπνέομαι |

| 4 (ii) | **installer,** v. | installieren | to set up, install | instalar | instalar | εγκαθιστώ, στείνω, |
|---|---|---|---|---|---|---|
| 10 (ii) | **intellectuel,** adj. | intellektuel | intellectual | intelectual | intelectual | διανοούμενος |
| 6 (i) | **intensif,** adj. | intensiv | intensive | intensivo (-a) | intensivo | εντατικός |
| 12 (ii) | **intention,** n. f. | Absicht | intention | intención | intenção | πρόθεση, σκοπός |
| 5 (ii) | **interdit,** adj. | verboten | forbidden | prohibido | proibido(a) | απαγορευμένο |
| 4 (ii) | **intéressant,** adj. | interessant | interesting | interesante | interessante | ενδιαφέρον |
| 3 (i) | **invitation,** n. f. | Einladung | invitation | invitación | convite | πρόσκληση |

# J

| 5 (i) | **jaloux,** adj. | neidisch | jealous | celoso (-a) | ciumento(a) | ζηλιάρης |
|---|---|---|---|---|---|---|
| 4 (ii) | **jamais,** adv. | nie | never | nunca | nunca | ποτέ |
| 3 (i) | **jardin,** n. m. | Garten | garden, gardening | jardín | jardim | κήπος |
| 2 (i) | **je vous en prie,** form. | bitte | I beg you | se lo ruego | se faz favor | σας παρακαλώ |
| 6 (ii) | **jeter un coup d'oeil,** loc. | Blick werfen, einen | to give a glance | echar un vistazo | dar uma olhada | ρίχνω μιά ματιά |
| 3 (i) | **jeu (vidéo),** n. m. | Spiel | (video) game | juego video | videojogo | παιχνίδι |
| 2 (i) | **jeune,** adj. | jung | young | joven | jovem | νέος, νεαρός |
| 1 (i) | **joli,** adj. | schön | pretty | bonito (-a) | bonito | όμορφο |
| 3 (i) | **jouer,** v. | spielen | to play | jugar | tocar (piano) | παίζω |
| 3 (i) | **jour,** n. m. | Tag | day | día | dia | ημέρα |
| 4 (i) | **journal,** n. m. | Zeitung | newspaper | periódico | jornal | εφημερίδα |
| 0 | **journaliste,** n. m. | Jurnalist | journalist | periodista | jornalista | δημοσιογράφος |
| 2 (i) | **journée,** n. f. | Tag | day | día | dia | μέρα |
| 3 (i) | **judo,** n. m. | Judo | judo | judo | judo | τζούντο |
| 10 (ii) | **jus,** n. m. | Saft | juice | zumo, jugo | sumo | χυμός |
| 6 (ii) | **jusqu'à,** prép. | bis | as far as, until | hasta | até | μέχρι |
| 4 (i) | **justement,** adv. | gerade | exactly, just | precisamente | justamente | ακριβώς |

# K

| 7 (ii) | **kilo(gramme),** n. m. | Kilo | kilogramme | kilo | quilo(grama) | κιλό |
|---|---|---|---|---|---|---|

# L

| 1 (ii) | **là,** adv. | da | there | allí | ali (aí) | εκεί |
|---|---|---|---|---|---|---|
| 10 (ii) | **là-dessus,** adv. | darunter | on that | allí arriba | sobre ; em cima de | εκεί πάνω |
| 6 (ii) | **laisser,** v. | lassen | to leave, to let | dejar | deixar | αφίνω, επιτρέπω |
| 8 (ii) | **lampadaire,** n. m. | Strassenlampe | standard lamp | lámpara | lampadário | αμπαζούρ (με πόδι) |
| 7 (i) | **légume,** un -, n. m. | Gemüse | vegetable | verdura | legume | λαχανικό |
| 11 (ii) | **lessive,** n. f. | Waschmittel | washing powder | colada | lixívia | σκόνη πλυσίματος |
| 2 (ii) | **lettre,** n. f. | Brief | letter | carta | carta | γράμμα |
| 6 (i) | **lever (le doigt),** v. | heben | to raise | levantar | levantar (o dedo) | σηκώνω (δάχτυλο) |
| 5 (i) | **lever, se -,** v. | aufstehen | to get up | levantarse | levantar-se | σηκώνομαι |
| 5 (ii) | **libre,** adj. | frei | free, available | libre | livre,desocupado(a) | ελεύθερο |
| 8 (ii) | **lieu,** n. m. | Ort | place | lugar | lugar | μέρος |
| 4 (i) | **ligne,** n. f. | Linie | line, figure | línea | linha, forma | γραμμή (σώματος) |
| 11 (i) | **ligne, en -,** n. f. | gerade (am Telefon) sprechen | on the line | en línea | linha, na - | ανοιχτή (τηλεφωνική γραμμή) |
| 3 (i) | **lire,** v. | lesen | to read | leer | ler | διαβάζω |
| 5 (i) | **lit,** n. m. | Bett | bed | cama | cama | κρεββάτι |
| 8 (ii) | **local,** n. m. | Lokal | room, premises | local | lugar | χώρος |
| 1 (i) | **locataire,** n. m. | Mieter | tenant | inquilino | inquilino (a) | ενοικιαστής |
| 3 (ii) | **loin,** adv. | weit | far away | lejos | longe | μακρυά |
| 9 (i) | **longtemps ,** adv. | lange | a long time | mucho tiempo | muito tempo | πολύς καιρός |
| 8 (i) | **lumière,** n. f. | Licht | light | luz | luz | φως |
| 10 (i) | **lycée, un -,** n. m. | Gymnasium | secondary school | liceo | liceu | Λύκειο |

| | | | | | |
|---|---|---|---|---|---|
| 2 (i) | **machine**, n. f. | Machine | machine | máquina | máquina | μηχανή |
| 0 | **madame**, n. f. | Frau | madam, Mrs | señora | senhora | κυρία |
| 1 (i) | **mademoiselle**, n. f. | Fräulein | Miss | señorita | senhorita | δεσποινίς |
| 1 (i) | **maintenant**, adv. | jetzt | now | ahora | agora | τώρα |
| 2 (i) | **maison**, n. f. | Firma | firm | casa | casa | επιχείρηση |
| 5 (i) | **majeur**, adj. | volljährig | of age, adult | mayor | maior | ενήλικος |
| 6 (i) | **mal**, adv. | schlecht | bad | mal | mal | κακό |
| 11 (i) | **malade**, adj. | krank | ill | enfermo (-a) | doente | άρρωστος |
| 7 (ii) | **malin**, adj. | pfiffig | smart (guy) | listo (-a) | esperto (a) | πονηρός |
| 1 (ii) | **manger**, v. | essen | to eat | comer | comer | τρώω |
| 1 (i) | **mannequin**, n. m. | Model | model | maniquí | manequim | μανεκέν |
| 10 (i) | **manquer (qqch à qq'un)**, v. | fehlen | to lack | faltar | faltar (algo a alguém) | λείπει |
| 9 (i) | **marche arrière**, n. f. | Rückwärtsgang | reverse | marcha atrás | marcha atrás | η όπισθεν |
| 7 (ii) | **marché**, n. m. | Markt | market | mercado | mercado | αγορά |
| 3 (i) | **marcher**, v. | gehen | to walk | ir, andar | andar | περπατώ |
| 3 (i) | **mari**, n. m. | Gatte | husband | marido | marido | ο σύζυγος |
| 10 (i) | **marron**, adj. | braun | brown | marrón | marrom | καφέ |
| 2 (i) | **matin**, n. m. | Morgen | morning | mañana | manhã | πρωΐ |
| 7 (ii) | **matinal**, adj. | früh | early | matutino (-a) | matinal | πρωϊνός |
| 4 (ii) | **mauvais**, adj. | schlecht | bad | malo (-a) | mau (má) | κακός |
| 2 (ii) | **méchant**, adj. | böse | nasty | mal (a) | mau (má) | κακός |
| 1 (i) | **médecin**, n. m. | Arzt | doctor | médico | médico (a) | γιατρός |
| 4 (ii) | **médiathèque**, n. f. | Mediathek | multi-media reference library | mediateca | mediateca | αρχειοθήκη πολυ-μέσων |
| 7 (ii) | **meilleur**, adj. | besser | best | mejor | melhor | το καλύτερο |
| 11 (ii) | **même**, adv. | selbst | even | hasta, incluso | mesmo(a) | ακόμα καί |
| 9 (i) | **mémoire, une -**, n. f. | Gedächtnis | memory | memoria | memória, uma | μνήμη |
| 7 (i) | **menu**, n. m. | Menü | menu | menú | ementa | μενού |
| 0 | **merci**, form. | danke | thank you | gracias | obrigado (a) | ευχαριστώ |
| 1 (ii) | **mère**, n. f. | Mutter | mother | madre | mãe | μητέρα |
| 2 (ii) | **mériter**, v. | verdienen | to deserve | merecer | merecer | μου αξίζει |
| 6 (ii) | **merveille**, n. f. | Wunder | marvel | maravilla | maravilha | θαύμα |
| 6 (i) | **méthode**, n. f. | Methode | method | método | método | μέθοδος |
| 8 (ii) | **mètre carré**, n. m. | Quadratmeter | square metre | metro cuadrado | metro quadrado | τετραγωνικό μέτρο |
| 6 (ii) | **mètre, un -**, n. m. | Meter | metre | metro | metro | μέτρο |
| 4 (i) | **métro**, n. m. | Metro | underground | metro | metro | μετρό |
| 4 (i) | **mettre**, v. | stellen, legen | to put on | meter, poner | pôr | βάζω, τοποθετώ |
| 9 (ii) | **mettre à table, se -**, loc. | zu Tisch setzen | to sit down to table | sentarse a la mesa | sentar-se à mesa | κάθομαι στο τραπέζι |
| 4 (ii) | **mieux**, adv. | besser | better | mejor | melhor | καλύτερα |
| 3 (i) | **minute**, n. f. | Minute | minute | minuto | minuto | λεπτό |
| 11 (i) | **mission, une -**, n. f. | Auftrag | mission | misión | missão, uma | αποστολή |
| 11 (ii) | **mode d'emploi**, n. m. | Bedienungsanleitung | directions for use | modo de empleo | manual de instruções | οδηγίες χρήσεως |
| 6 (i) | **modèle, un -**, n. m. | Model | model | modelo | modelo | μοντέλο |
| 8 (ii) | **moins, au -**, adv. | mindestens | at least | por lo menos | pelo menos | τουλάχιστον |
| 3 (i) | **mois**, n. m. | Monat | month | mes | mês | μήνας |
| 7 (i) | **moitié, à -**, adv. | zur Hälfte | half | a la mitad | metade | μισό |
| 9 (i) | **monde, le -**, n. m. | Leute | (crowds of) people | gente | gente (muita) | κόσμος |
| 9 (i) | **moniteur**, n. m. | Lehrer (Sport) | instructor | monitor | monitor | εκπαιδευτής |
| 5 (ii) | **monnaie**, n. f. | Währung | small change | dinero, suelto | troco | ψιλά |
| 0 | **monsieur**, n. m. | Herr | Mr | señor | senhor | κύριος |
| 5 (i) | **monter**, v. | hinaufgehen, klettern | to come up, to climb up | subir, escalar | subir | ανεβαίνω |
| 7 (ii) | **monter (en grade)**, v. | aufsteigen | to be promoted | ascender | ser promovido | προάγομαι |
| 0 | **mot**, n. m. | Wort | word | palabra | palavra | λέξη |

| | | | | | |
|---|---|---|---|---|---|
| 12 (i) | **motif,** n. m. | Motif | motif, design | motivo | motivo | σχέδιο |
| 4 (i) | **moto,** n. f. | Motorrad | motorbike | moto | moto | μοτοσυκλέτα |
| 8 (i) | **mourir (de chaud),** v. | kaputt gehen | to die (of heat) | morirse | morrer (de calor) | σκάω (από ζέστη) |
| 4 (i) | **mouvement,** n. m. | Bewegung | movement, action | movimiento | movimento | κίνηση, |
| 12 (i) | **mur,** n. m. | Mauer, Wand | wall | pared | parede | τοίχος |
| 3 (i) | **musique,** n. f. | Musik | music | música | música | μουσική |

# N

| | | | | | |
|---|---|---|---|---|---|
| 3 (i) | **natation,** n. f. | Schwimmen | swimming | natación | natação | κολύμβηση |
| 1 (i) | **nationalité,** n. f. | Staatsangehörigkeit | nationality | nacionalidad | nacionalidade | εθνικότητα |
| 6 (i) | **ne... plus,** adv. | nicht mehr | no/any more | ya no | não/mais | δεν (έχει) άλλο |
| 10 (i) | **niveau,** n. m. | Niveau | level | nivel | nível | επίπεδο |
| 3 (ii) | **noir,** adj. | schwarz | black, dark (eyes) | negro (-a) | (de olhos) preto(s) | μαύρο |
| 0 | **nom,** n. m. | Name | name | nombre | nome | όνομα |
| 0 | **nombre,** n. m. | Zahl | number | número | número | αριθμός |
| 5 (ii) | **nombreux,** adj. | zahlreich | numerous | numeroso (-a) | numerosos(as) | πολλύς-πολλή |
| 7 (i) | **non plus,** adv. | auch nicht | neither | tampoco | tampouco | ούτε |
| 1 (ii) | **nouveau,** adj. | neu | new | nuevo (-a) | novo | καινούργιο |
| 10 (i) | **nul,** adj. | null, schlecht | useless | ningún (-a) | nulo (o pior) | ο χειρότερος, σκράπας |
| 0 | **numéro,** n. m. | Nummer | number | número | número | αριθμός |

# O

| | | | | | |
|---|---|---|---|---|---|
| 6 (i) | **objet,** n. m. | Objekt | object | objeto | objecto | αντικείμενο |
| 2 (i) | **obligatoire,** adj. | obligatorisch | compulsory | obligatorio (-a) | obrigatório (a) | υποχρεωτικό |
| 7 (i) | **obtenir,** v. | erhalten | to obtain, get | obtener | obter | καταφέρνω να πάρω |
| 4 (ii) | **occuper, s'- (de),** v. | kümmern um, sich | to look after | ocuparse de | ocupar-se de | φροντίζω |
| 7 (ii) | **oeuf,** n. m. | Ei | egg | huevo | ovo | αυγό |
| 3 (ii) | **oeuvre,** n. f. | Werk | work (of art) | obra | obra | έργο (τέχνης) |
| 2 (ii) | **offrir,** v. | schenken | to offer, give | ofrecer | oferecer | προσφέρω |
| 7 (ii) | **oignon,** n. m. | Zwiebel | onion | cebolla | cebola | κρεμμύδι |
| 6 (ii) | **optimiste,** adj. | optimistisch | optimistic | optimista | optimista | αισιόδοξος |
| 10 (i) | **orange,** adj. | orange | orange | anaranjado (-a) | laranja | πορτοκαλί |
| 8 (i) | **ordinateur,** n. m. | Rechner | computer | ordenador | computador | ηλεκτρονικός υπολογιστής |
| 11 (i) | **ordre, un -,** n. m. | Befehl | order | orden | ordem, uma | διαταγή |
| 4 (ii) | **organiser,** v. | organisieren | to organize | organizar | organizar | οργανώνω |
| 2 (i) | **où,** adv. | wo | where | dónde | onde | πού |
| 5 (i) | **oublier,** v. | vergessen | to forget | olvidar | esquecer | ξεχνώ |
| 4 (ii) | **ouverture,** n. f. | Öffnung | opening | apertura | abertura | άνοιγμα |
| 12 (i) | **ouvrir,** v. | öffnen | to open | abrir | abrir | ανοίγω |

# P

| | | | | | |
|---|---|---|---|---|---|
| 6 (i) | **pain,** n. m. | Brot | bread | pan | pão | ψωμί |
| 5 (i) | **pancarte,** n. f. | Schild | notice | cartel | cartaz | πινακίδα |
| 10 (ii) | **panier,** n. m. | Korb | basket | cesto (-a) | cesta | καλάθι |
| 2 (i) | **par,** prép. | von | by | por | com | από |
| 11 (ii) | **paraître,** v. | scheinen | to seem | parecer | parecer | φαίνεται |
| 5 (i) | **parc,** n. m. | Park | park | parque | parque | πάρκο |
| 10 (ii) | **pareil,** adj. | gleich | (the) same | parecido (-a) | a mesma coisa | ίδιο |
| 3 (ii) | **parents,** n. m. | Eltern | parents | padres | parentes | γονείς |
| 5 (i) | **parfait,** adj. | perfekt | perfect | perfecto (-a) | perfeito (a) | εν τάξει ! τέλεια ! |
| 2 (ii) | **parfois,** adv. | manchmal | sometimes | a veces | às vezes | καμιά φορά |
| 6 (ii) | **parfumerie,** n. f. | Parfümerie | perfume shop | perfumería | perfumaria | αρωματοπωλείο |
| 3 (ii) | **parisien,** adj. | Pariser | Parisian | parisino (-a) | parisiense | Παριζιάνος |
| 9 (i) | **particulier, en -,** adv. | besonders | in particular | en particular | em particular | ιδιαίτερα |

| | | | | | | |
|---|---|---|---|---|---|---|
| 11 (ii) | **partie,** n. f. | Teil | part | parte, zona | parte | μέρος, περιοχή |
| 3 (ii) | **partir,** v. | weggehen | to leave | marcharse | partir | φεύγω |
| 4 (i) | **partout,** adv. | überall | everywhere | por/en todas partes | em toda parte | παντού |
| 11 (i) | **parvis,** n. m. | Vorplatz | square, open space | atrio | largo(praça) | προαύλιο |
| 8 (i) | **pas du tout,** adv. | absolut nicht | not at all | no, en absoluto | de jeito nenhum | καθόλου |
| 9 (i) | **passage piétons,** n. m. | Fussgängerüberweg | pedestrian crossing | cruce de peatones | passagem para peões | διάβαση πεζών |
| 2 (i) | **passeport,** n. m. | Pass | passport | pasaporte | passaporte | διαβατήριο |
| 2 (i) | **passer,** v. | vorbeigehen | to call in at | pasar | passar | περνάω |
| 3 (i) | **passionnant,** adj. | spannend | exciting | apasionante | fascinante | εξαιρετικά ενδιαφέρον |
| 2 (ii) | **patient,** adj. | Patient | patient | paciente | paciente | υπομονετικός |
| 10 (ii) | **patin à roulettes,** n. m. | Rollschuhe | roller skates | patín de ruedas | patim de rodas | πατίνια, ρόλερς |
| 6 (ii) | **patronne,** n. f. | Chefin | manageress | dueña | patroa, dona | αφεντικό (θηλ) |
| 2 (i) | **payer,** v. | bezahlen | to pay | pagar | pagar | πληρώνω |
| 5 (i) | **paysagiste,** n. m. | Landschaftsgärtner | landscape architect | paisajista | paisagista | αρχιτέκτων εξωτερικών χώρων |
| 9 (i) | **peine, à -,** adv. | kaum | hardly | apenas | apenas ; mal | μόλις |
| 5 (ii) | **pelouse,** n. f. | Rasen | lawn | césped | relva | γκαζόν |
| 10 (ii) | **pencher,** v. | beugen | to lean | inclinar | inclinar | σκύβω |
| 3 (i) | **pendant,** prép. | während | during | durante | durante | εν όσο, κατά |
| 1 (ii) | **père,** n. m. | Vater | father | padre | pai | πατέρας |
| 12 (i) | **période,** n. f. | Periode | period | periodo, época | período | περίοδος |
| 4 (i) | **périphérique,** n. m. | Ringstrasse | ring road | periférico | periférico | περιφερειακός |
| 9 (i) | **permis (de conduire),** n. m. | Führerschein | (driving) licence | permiso | carta de condução | δίπλωμα οδήγησης |
| 11 (i) | **personnage,** n. m. | Person, Figur | figure | personaje | personagem | πρόσωπο, φιγούρα |
| 6 (i) | **persuadé,** adj. | überzeugt | convinced | convencido (-a) | convencido(a) | πεπεισμένος |
| 4 (i) | **perturbation,** n. f. | Störung | disruption | perturbación | perturbação | διατάραξη |
| 4 (i) | **petit,** adj. | klein | small | pequeño (-a) | pequeno | μικρός |
| 7 (ii) | **peu, un -,** adv. | wenig, ein | a few/little | poco | um pouco | λίγο |
| 4 (ii) | **peur,** n. f. | Angst | fear | miedo tener miedo | medo | φόβος |
| 1 (ii) | **peut-être,** adv. | vielleicht | perhaps | tal vez, puede ser | talvez | ίσως |
| 8 (ii) | **photocopie,** n. f. | Photokopie | photocopy | fotocopia | fotocópia | φωτοαντίγραφο |
| 3 (i) | **piano,** n. m. | Klavier | piano | piano | piano | πιάνο |
| 6 (ii) | **pièce,** n. f. | Stück | item | pieza, articulo | artigo | κομμάτι |
| 10 (ii) | **pièce (d'échecs),** n. f. | Figur | piece | pieza | peça (de xadrez) | κομμάτι (σκακιού) |
| 4 (i) | **pied,** n. m. | Fuss | foot | pie | pé | πόδι |
| 7 (i) | **pigeon,** n. m. | Taube | pigeon, *here* : sucker | pardillo | trouxa, pato | κορόϊδο |
| 8 (ii) | **pile,** n. f. | Batterie | pile | pila | pilha | μπαταρία |
| 8 (ii) | **placard,** n. m. | Wandschrank | cupboard | armario | armário | ντουλάπι |
| 3 (i) | **place (de cinéma),** n. f. | Platz | seat, (cinema) ticket | localidad | entrada (de cinema) | θέση, εισιτήριο |
| 4 (i) | **plaindre, se -,** v. | beschweren, sich | to complain | quejar (-se) | queixar-se | παραπονιέμαι |
| 6 (ii) | **plaire (à),** v. | gefallen | to please | gustar | agradar a | αρέσω |
| 2 (i) | **plaisanter,** v. | lustig machen | to joke | bromear | brincar | αστειεύομαι |
| 2 (i) | **plaisanterie,** n. f. | Witz | joke | broma | brincadeira | αστείο, πλάκα |
| 6 (ii) | **plaisir, faire - à,** loc. | Freude machen | to make (sb) happy | agradar el gusto | apetecer (a alguém) | ευχαριστώ κάποιον |
| 5 (ii) | **plante,** n. f. | Pflanze | plant | planta | planta | φυτό |
| 7 (ii) | **plat de côtes,** n. m. | Koteletts | top ribs | falda | costela | παϊδάκια |
| 7 (i) | **plate (eau plate),** adj. | ohne Kohlensäure | plain, still (water) | agua sin gas | sem gás (água) | νερό (βρύσης) |
| 7 (i) | **plâtre,** n. m. | Gips | plaster | escayola | gesso | γύψος |
| 4 (ii) | **plein,** adv. | voll | full | lleno | cheio | γεμάτο |
| 10 (ii) | **plier,** v. | falten | to bend | doblar | dobrar | λυγίζω |
| 10 (ii) | **plusieurs,** adj. | mehrere | several | varios (-as) | vários(as) | αρκετούς, κάμποσους |
| 10 (ii) | **plutôt,** adv. | eher | instead | más bien | sobretudo | καλίτερα, μάλλον |
| 7 (i) | **point, à -,** adj. | eben durch | medium (steak) | en su punto | ao ponto | μέτρια ψημένο |

| | | | | | |
|---|---|---|---|---|---|
| 7 (i) | **poisson,** n. m. | Fisch | fish | pescado | peixe | ψάρι |
| 7 (ii) | **poivre,** n. m. | Pfeffer | pepper | pimienta | pimenta | πιπέρι |
| 7 (ii) | **pomme,** n. f. | Apfel | apple | manzana | maçã | μήλο |
| 7 (ii) | **pomme de terre,** n. f. | Kartoffel | potato | patata | batata | πατάτα |
| 11 (i) | **portable,** adj. | tragbar, schnurlos | mobile | portátil, móvil | telefone móvel | κινητό |
| 2 (ii) | **poser,** v. | stellen, legen | to put | poner | pôr | τοποθετώ, βάζω |
| 6 (i) | **possible,** adj. | möglich | possible | posible | possível | δυνατόν |
| 6 (ii) | **poste, la -,** n. f. | Postamt | post office | correos (oficina de) | correio | ταχυδρομείο |
| 7 (ii) | **pot au feu,** n. m. | Pot au Feu | beef stew | cocido | cozido | κρέας βραστό |
| 7 (ii) | **poulet,** n. m. | Hähnchen | chicken | pollo | frango | κοτόπουλο |
| 1 (ii) | **pour,** prép. | für | for | por, para | para | γιά |
| 7 (i) | **pourboire,** n. m. | Trinkgeld | tip | propina | gorjeta | πουρμπουάρ |
| 5 (i) | **pourtant,** adv. | dennoch | nevertheless | sin embargo | no entanto | παρ'όλο |
| 5 (ii) | **pouvoir,** v. | können | to be able | poder | poder | μπορώ |
| 6 (i) | **précis,** adj. | genau | precise | preciso (-a), | preciso | επακριβές |
| 3 (i) | **préféré,** adj. | Lieblings.... | favourite | favorito (-a) | preferido(a) | το αγαπημένο |
| 2 (i) | **préférer,** v. | vorziehen | to prefer | preferir | preferir | προτιμώ |
| 2 (i) | **premier(-ère),** adj. | erste | first | primer/o (-a) | primeiro(a) | πρώτος-τη |
| 0 | **prénom,** n. m. | Vorname | first name | nombre de pila | nome próprio | μικρό όνομα |
| 7 (i) | **préparer,** v. | vorbereiten | to prepare | preparar | preparar | ετοιμάζω |
| 8 (ii) | **près de,** prép. | bei | near | cerca de | perto de | κοντά |
| 1 (ii) | **présenter,** v. | vorstellen | to present, introduce | presentar | apresentar | παρουσιάζω, συστήνω |
| 10 (i) | **presque,** adv. | fast | almost | casi | quase | σχεδόν |
| 2 (i) | **pressé,** adj. | eilig | in a hurry | apresurado (-a) | apressado(a) | βιαστικός |
| 9 (i) | **prêter,** v. | leihen | to lend | prestar | emprestar | δανείζω |
| 10 (i) | **prévenir,** v. | benachrichtigen | to warn, let know | prevenir | prevenir | προειδοποιώ |
| 5 (ii) | **prévoir,** v. | vorsehen | to plan | prever | prever | προβλέπω |
| 2 (i) | **problème,** n. m. | Problem | problem | problema | problema | πρόβλημα |
| 7 (ii) | **production,** n. f. | Produktion | production | producción | produção | παραγωγή |
| 6 (i) | **produit,** n. m. | Produkt | product | producto | produto | προϊόν |
| 0 | **profession,** n. f. | Beruf | profession | profesión | profissão | επάγγελμα |
| 5 (i) | **programme,** n. m. | Programm | programme | programa | programa | πρόγραμμα |
| 10 (i) | **progrès,** n. m. | Fortschritt | progress | avance, progresso | progresso | πρόοδος |
| 7 (ii) | **promotion,** n. f. | Sonderangebot | special offer | promoción | promoção | προσφορά |
| 2 (i) | **propos, à -,** adv. | übrigens | by the way | a propósito | a propósito | με την ευκαιρία |
| 8 (ii) | **proposer,** v. | vorschlagen | to offer | proponer | propor | προτείνω |
| 12 (i) | **province,** n. f. | Provinz | provinces | provincia | província | επαρχία |
| 7 (ii) | **provisions,** n. f. pl. | Vorrat | shopping, food | provisiones | compras, provisões | ψώνια |

# Q

| | | | | | |
|---|---|---|---|---|---|
| 5 (ii) | **quadricycle,** n. m. | Vierrad | quadricycle | cuadriciclo | quadriciclo | τετράκυκλο |
| 2 (ii) | **qualité,** n. f. | Qualität | quality | cualidad | qualidade | ποιότητα |
| 4 (ii) | **quand même,** adv. | trotzdem | nevertheless, | a pesar de todo | assim mesmo | παρ'όλα αυτά |
| 1 (ii) | **quartier,** n. m. | Viertel | neighbourhood | barrio, sector | bairro | γειτονιά |
| 10 (ii) | **quelquefois,** adv. | manchmal | sometimes | algunas veces | às vezes | καμμιά φορά |
| 3 (i) | **quelques,** adj. | einige | a few | algunos (-as) | alguns (umas) | μερικές |

# R

| | | | | | |
|---|---|---|---|---|---|
| 11 (i) | **raccrocher,** v. | auflegen | to hang up | colgar | desligar | κλείνω το τηλέφωνο |
| 1 (ii) | **raison, avoir -,** loc. | Recht haben | to be right | tener razón | ter razão | έχω δίκιο |
| 9 (ii) | **râler,** v. | schimpfen | to moan and groan | rezongar | resmungar | γκρινιάζω |
| 1 (ii) | **rangé(e),** adj. | aufgeräumt | tidy | ordenado (-a) | arrumado(a) | συγυρισμένο |
| 8 (ii) | **rangement,** n. m. | Aufräumen | tidying up | orden, colocación | arrumação | συγύρισμα |
| 8 (i) | **ranger,** v. | aufräumen | to arrange | ordenar | arrumar | συγυρίζω |
| 6 (i) | **rapide,** adj. | schnell | rapid | rápido (-a) | rápido | ταχύ, γρήγορο |
| 11 (ii) | **rappeler,** v. | zurückrufen | to call back | vover a llamar | ligar de novo | ξανατηλεφωνώ |

| | | | | | | |
|---|---|---|---|---|---|---|
| 6 (i) | **rapporter,** v. | zurückbringen | to bring back | volver a traer | trazer | φέρνω |
| 5 (ii) | **rare,** adj. | selten | rare | raro (-a) | raro(a) | σπάνιο |
| 11 (i) | **rater,** v. | verpasen | to miss | fallar | deixar de (ver) | χάνω |
| 5 (i) | **ravi,** adj. | begeistert | delighted | encantando (-a) | encantado(a) | πολύ ευχαριστημένος |
| 5 (i) | **ravissante,** adj. | entzückend | beautiful | encantador (-a) | encantador(a) | όμορφη |
| 10 (i) | **record,** n. m. | Rekord | record | récord | record | ρεκόρ |
| 12 (ii) | **recouvrir,** v. | bedecken | to cover | recubrir | cobrir | καλύπτω |
| 5 (ii) | **reçu,** n. m. | Quittung | receipt | recibo | recibo | απόδειξη |
| 9 (ii) | **récupérer,** v. | zurückholen | to get (sth) back | recuperar | recuperar, buscar | παίρνω πίσω |
| 10 (ii) | **récupérer (physiquement),** v. | wiedererlangen | to recover | recuperar (-se) | recuperar (-se) (fisicamente) | ξεκουράζομα |
| 10 (i) | **rédaction,** n. f. | Aufsatz | composition | redacción | redação | έκθεση ιδεών |
| 11 (ii) | **redescendre,** v. | heruntergehen | to go back down | bajar de nuevo | descer de novo | ξανακατεβαίνω |
| 7 (i) | **refaire,** v. | wiedermachen | to redo | rehacer | refazer | ξανακάνω |
| 9 (i) | **réfléchir,** v. | überlegen | to think | reflexionar | reflectir | σκέπτομαι |
| 10 (ii) | **réflexe, un -,** n. m. | Reflex | reflex | reflejo | reflexo | αντανακλαστικό |
| 2 (i) | **regarder,** v. | betrachten | to look | mirar | olhar | κοιτάζω |
| 12 (ii) | **région,** n. f. | Region | region | región | região | περιφέρεια |
| 4 (ii) | **règle,** n. f. | Regel | rule | norma | regra | κανόνας |
| 4 (ii) | **régler,** v. | regeln | to settle | regular, ajustar | acertar | κανονίζω |
| 7 (i) | **regretter,** v. | bedauern | to be sorry | lamentar | lamentar | λυπάμαι |
| 6 (i) | **reine,** n. f. | Königin | queen | reina | rainha | βασίλισσα |
| 11 (ii) | **rejoindre,** v. | zurückkehren | to (re)join | reunir (-se) | encontrar | πάω μαζί |
| 2 (ii) | **remercier,** v. | danken | to thank | agradecer | agradecer | ευχαριστώ |
| 2 (i) | **remplaçant,** n. m. | Vertreter | replacement | sustituto (-a) | substituto (a) | αντικαταστάτης |
| 4 (i) | **remplacement,** n. m. | Ersatz | temporary replacement job | sustitución | substituição | αντικατάσταση |
| 4 (ii) | **rémunération,** n. f. | Entlohnung | pay | remuneración | remuneração | πληρωμή |
| 2 (i) | **rendez-vous,** n. m. | Treffen | appointment | cita | encontro | ραντεβού |
| 12 (ii) | **rénovation,** n. f. | Renovierung | renovation | renovación | renovação | ανακαίνηση |
| 4 (i) | **renseigner, se -,** v. | erkundigen, sich | to ask for information | informar (-se) | informar-se | πληροφορούμαι |
| 5 (i) | **rentrer,** v. | heim kommen | to come home | volver | entrar | γυρίζω σπίτι |
| 11 (ii) | **reparler,** v. | wiedersprechen | to talk again | volver a hablar | falar outra vez | ξαναμιλάω |
| 8 (i) | **répartition,** n. f. | Verteilung | distribution | distribución | repartição | κατανομή |
| 1 (ii) | **repas,** n. m. | Essen | meal | comida | refeição(ões) | γεύμα |
| 5 (ii) | **reposer, se -,** v. | ausruhen, sich | to have a rest | descansar | descansar | ξεκουράζομαι |
| 9 (ii) | **reprendre,** v. | zurücknehmen | to take again | volver a coger | retomar | ξαναπαίρνω |
| 0 | **représentante,** n. f. | Vertreter | sales representative | representante | representante | αντιπρόσωπος |
| 5 (i) | **reserver,** v. | reservieren | to reserve | reservar | reservar | κρατώ, κλείνω θέση |
| 2 (ii) | **responsable,** n. | Verantwortliche | person in charge | responsable | responsável | υπεύθυνος |
| 1 (ii) | **restaurant,** n. m. | Restaurant | restaurant | restaurante | restaurante | εστιατόριο |
| 1 (ii) | **reste,** n. m. | Rest | rest | resto | resto | υπόλοιπο |
| 5 (i) | **rester,** v. | bleiben | to stay, to remain | quedarse | ficar, restar, sobrar | μένω, παραμένω |
| 8 (ii) | **résumer,** v. | zusammenfassen | to sum up | resumir | resumir | κάνω περίληψη |
| 2 (i) | **retard,** n. m. | Verspätung | delay | retraso | atraso | καθυστέρηση |
| 5 (ii) | **retenir (une table),** v. | reservieren | to reserve | reservar | reservar | κρατώ |
| 8 (ii) | **retourner,** v. | zurückkehren | to return | volver | voltar | ξαναγυρίζω |
| 12 (i) | **retraite,** n. f. | Rente | retirement | jubilación | reforma | σύνταξη |
| 8 (i) | **réunion,** n. f. | Besprechung | meeting | reunión | reunião | συνάντηση |
| 4 (ii) | **rêver,** v. | träumen | to dream | soñar | sonhar | ονειρεύομαι |
| 6 (i) | **revoir,** v. | wiedersehen | to review | volver | rever | ξαναβλέπω |
| 8 (i) | **rez-de-chaussée,** n. m. | Erdgeschoss | ground floor | planta baja | rés-do-chão | ισόγειο |
| 7 (i) | **rigoler,** v. | lachen | to joke | bromear | brincar | αστειεύομαι |
| 4 (i) | **risque,** n. m. | Risiko | risk | riesgo, peligro | risco | κίνδυνος, ρίσκο |

| | | | | | | |
|---|---|---|---|---|---|---|
| 7 (i) | **roi,** n. m. | König | king | rey | rei | βασιλιάς |
| 3 (ii) | **rose,** adj. | rosa | pink | rosa | rosa | ρόζ |
| 12 (ii) | **rouleau,** n. m. | Rolle | roll | rollo, bobina | rolo | τόπι (υφάσματος) |
| 1 (i) | **rue,** n. f. | Strasse | road, street | calle | rua | οδός |
| 7 (i) | **ruine,** n. f. | Ruine | ruin | ruina | ruína | ερείπιο |

# S

| | | | | | | |
|---|---|---|---|---|---|---|
| 0 | **s'il vous plaît,** form. | bitte | please | por favor | se faz favor | σας παρακαλώ |
| 3 (ii) | **sac,** n. m. | Tasche | bag | bolso | bolsa | τσάντα |
| 5 (ii) | **saison,** n. f. | Saison | season | estación, temporada | estação, uma - | εποχή |
| 4 (ii) | **salaire,** n. m. | Gehalt | salary | salario, sueldo | salário | μισθός |
| 0 | **salut !,** form. | hallo | hi!, hello! | ¡hola! | olá | γειά ! |
| 1 (ii) | **samedi,** n. m. | Samstag | Saturday | sábado | sábado | Σάββατο |
| 12 (i) | **sans,** prép. | ohne | without | sin | sem | χωρίς |
| 5 (ii) | **savoir,** v. | wissen | to know | saber | saber | ξέρω, γνωρίζω |
| 6 (i) | **savoir-faire, un -,** n. m. | Know-how | know-how | habilidad | habilidade | τεχνογνωσία |
| 11 (i) | **sculpture,** n. f. | Skulptur | sculpture | escultura | escultura | γλυπτό |
| 0 | **secrétaire,** n. f. | Sekretärin | secretary | secretario (-a) | secretário (a) | γραμματέας |
| 7 (ii) | **sel,** n. m. | Salz | salt | sal | sel | αλάτι |
| 4 (i) | **sentir (bon),** v. | riechen | to smell (nice) | oler (bien) | cheirar (bem) | μυρίζει (ωραία) |
| 11 (ii) | **sentir, se - mieux,** v. | besser fûhlen | to feel better | sentirse mejor | sentir(-se) melhor | αισθάνομαι καλύτερα |
| 12 (i) | **séparer, se - (de),** v. | trennen, sich | to leave each other | sapararse de | separar(-se) de | αποχωρίζομαι |
| 1 (ii) | **sérieux(-se),** adj. | ernst | serious | serio (-a) | sério(a) | σοβαρός |
| 5 (ii) | **serre,** n. f. | Gewächshaus | greenhouse | invernadero | estufa | θερμοκήπιο |
| 7 (i) | **serveur,** n. m. | Ober | waiter | camarero | empregado | γκαρσόνι |
| 2 (ii) | **service, un -,** n. m. | Abteilung | department | departamento | serviço | τμήμα, υπηρεσία |
| 10 (i) | **services,** n. m. pl. | Dienstleistungen | services | servicios | serviços | υπηρεσίες |
| 7 (ii) | **servir,** v. | bedienen | to serve | servir | servir | υπηρετώ |
| 11 (i) | **servir, se - (de qqch),** v. | bedienen, sich | to use (sth) | servirse (de algo) | usar (algo) | μεταχειρίζομαι |
| 1 (ii) | **seul,** adj. | allein | alone | solo (-a) | só | μόνος |
| 3 (i) | **seulement,** adv. | nur | only | sólo | somente | μόνο |
| 4 (i) | **signaler,** v. | anzeigen | to report | señalar | assinalar | αναφέρω |
| 8 (i) | **simple,** adj. | einfach | simple | simple | simples | απλό |
| 8 (ii) | **situer,** v. | situieren | to situate, place | situar | situar | τοποθετώ |
| 3 (ii) | **soeur,** n. f. | Schwester | sister | hermana | irmã | αδελφή |
| 3 (ii) | **soie,** n. f. | Seide | silk | seda | seda | μετάξι |
| 1 (ii) | **soif,** n. f. | Durst | thirst | sed | sede | δίψα |
| 2 (i) | **soir,** n. m. | Abend | evening | tarde | noite | βράδυ |
| 5 (i) | **soirée,** n. f. | Abend | evening | velada | noite | βραδνά |
| 4 (ii) | **solution,** n. f. | Lösung | solution | solución | solução | λύση |
| 8 (ii) | **sombre,** adj. | dunkel | dark, gloomy | oscuro (-a) | sombrio (a) | σκοτεινό |
| 10 (i) | **son,** n. m. | Ton | sound, volume | sonido | som | ήχος, ένταση |
| 11 (ii) | **sonner,** v. | klingeln | to ring | sonar | tocar | χτυπά το κουδούνι |
| 3 (ii) | **sortir,** v. | hinausgehen | to go (out) | salir | sair | βγαίνω |
| 2 (i) | **souhaiter,** v. | wünschen | to wish | desear | desejar | εύχομαι |
| 3 (ii) | **sourire,** n. m. | Lächeln | smile | sonreír | sorrir | χαμόγελο |
| 4 (ii) | **sous-sol,** n. m. | Untergeschoss | basement | sótano | subsolo | υπόγειο |
| 9 (i) | **souvenir, se - (de),** v. | erinnern, sich | to remember | acordarse de | lembrar(-se de) | θυμάμαι |
| 3 (i) | **souvent,** adv. | oft | often | frecuentemente | muitas vezes | συχνά |
| 4 (i) | **spécial,** adj. | besonders | special | especial | especial | ιδιαίτερο, ειδικό |
| 6 (i) | **spécialiste,** n. f. m. | Spezialist | specialist | especialista | especialista, um(a) | ειδικός |
| 3 (i) | **sport,** n. m. | Sport | sport | deporte | desporto | άθλημα, σπορ |
| 4 (ii) | **stage,** n. m. | Praktikum | training course | período de prácticas | estágio | πρακτική εξάσκηση |
| 0 | **stagiaire,** n. | Praktikant | trainee | cursillister | estagiário (a) | εκπαιδευόμενος |
| 9 (i) | **strict,** adj. | strikt | severe | estricto (-a) | estrito(a) | αυστηρός |

| | | | | | |
|---|---|---|---|---|---|
| 6 (ii) | **style,** n. m. | Stil | style | estilo | estilo | στύλ, τύπος, είδος |
| 4 (ii) | **succès,** n. m. | Erfolg | success | éxito | sucesso | επιτυχία |
| 12 (ii) | **suffire (à),** v. | genügen | to be enough | bastar | bastar (para) | αρκώ, φθάνω |
| 4 (i) | **suite, à la -,** loc. | Folge, in | following | consecuencia | após | στη συνέχεια |
| 6 (i) | **suivre,** v. | folgen | to follow | seguir | seguir | ακολουθώ |
| 6 (ii) | **sujet, au - de,** prép. | über | about | a propósito de | a respeito de | περί (του θέματος) |
| 3 (i) | **super,** form. | super | fantastic | ¡estupendo! | óptimo ! | ωραία ! μπράβο ! |
| 8 (ii) | **superbe,** adj. | toll | superb | soberbio (-a) | maravilhoso(a) | υπέροχο |
| 7 (i) | **supplément,** n. m. | Zusatz | extra charge | suplemento | suplemento | επί πλέον, έξτρα |
| 3 (i) | **sur,** prép. | auf | on, about | sobre | sobre | περί |
| 1 (i) | **sûr,** adj. | sicher | sure | seguro (-a) | certeza | βέβαιος |
| 1 (ii) | **sûrement,** adv. | sicherlich | certainly | seguramente | certamente | ασφαλώς, βεβαίως |
| 5 (ii) | **surface,** n. f. | Oberfläche | surface area | superficie | superfície | επιφάνια |
| 4 (ii) | **surveiller,** v. | überwachen | to keep an eye on | vigilar | vigiar | προσέχω, παρακολουθώ |
| 1 (i) | **sympa,** adj. | sympathisch | nice, friendly | simpático (-a) | simpático (a) | συμπαθητικός |

# T

| | | | | | |
|---|---|---|---|---|---|
| 8 (i) | **taille,** n. f. | Grösse | size | tamaño | tamanho | μέγεθος |
| 9 (i) | **tailleur,** n. m. | Kostüm | (lady's) suit | traje | saia-casaco | ταγέρ |
| 2 (ii) | **tard,** adv. | spät | late | tarde | tarde | αργά |
| 2 (ii) | **tard, à plus -,** adv. | später, bis - | see you later | lo más tarde | hasta luego | ες αργότερον |
| 4 (i) | **taxi,** n. m. | Taxi | taxi | taxi | táxi | ταξί |
| 0 | **téléphone,** n. m. | Telefon | telephone | teléfono | telefone | τηλέφωνο |
| 3 (i) | **télévision,** n. f. | Fernsehen | television | televisión | televisão | τηλεόραση |
| 2 (ii) | **temps,** n. m. | Zeit | time | tiempo | tempo | χρόνος, καιρός |
| 7 (i) | **temps, tout le -,** adv. | immer | all the time | todo el tiempo | o tempo todo | συνεχώς |
| 2 (ii) | **tenir,** v. | halten | to hold | coger | segurar | κρατώ |
| 3 (i) | **tennis,** n. m. | Tennis | tennis | tenis | ténis | τένις |
| 5 (ii) | **terrain (de sport),** n. m. | Platz (Sport) | (sports) ground | cancha | campo (de desporto) | γήπεδο |
| 1 (ii) | **tête,** n. f. | Kopf | head | cabeza | cabeça | κεφάλι |
| 3 (i) | **théâtre,** n. m. | Theater | theatre | teatro | teatro | θέατρο |
| 12 (i) | **thème, un -,** n. m. | Thema | theme | tema | tema, um - | θέμα |
| 2 (ii) | **timide,** adj. | schüchtern | shy | tímido (-a) | tímido (a) | δειλός |
| 8 (ii) | **toilettes,** n. f. pl. | Toilette | toilet | lavabos | casa de banho | τουαλέτες, μπάνιο |
| 5 (i) | **tomber,** v. | fallen | to fall | caer (se) | cair | πέφτω |
| 8 (ii) | **tomber bien,** v. | treffen (gut) | to come at the right moment | caer bien | calhar bem | στη κατάλληλη στιγμή |
| 4 (ii) | **toucher,** v. | erhalten | to receive (salary) | cobrar | receber | παίρνω |
| 10 (ii) | **toucher,** v. | berühren | to touch | tocar | tocar | αγγίζω |
| 2 (i) | **toujours,** adv. , | immer | always | siempre | sempre | πάντα |
| 11 (i) | **tour, faire le -,** loc. | Runde machen, die - | to go/walk round | dar la vuelta | volta, dar a - vez | πάω παντού |
| 1 (ii) | **tour, un -,** n. m. | Reihe | turn | turno | vez | σειρά |
| 11 (ii) | **tour, une -,** n. f. | Turm | tower | torre | edifício, um - | πύργος |
| 6 (ii) | **tourner,** v. | drehen | to turn | doblar | virar | γυρίζω |
| 8 (i) | **tout de suite,** adv. | sofort | straight away | immediamente | imediatamente | αμέσως |
| 6 (ii) | **tout droit,** adv. | geradeaus | straight ahead | todo derebo | directo | κατ'ευθείαν |
| 12 (ii) | **traditionnel,** adj. | traditionnell | traditional | tradicional | tradicional | παραδοσιακός |
| 4 (i) | **train,** n. m. | Zug | train | tren | comboio | τραίνο |
| 11 (i) | **trajet,** n. m. | Strecke | trip, journey | trayecto | trajecto | διαδρομή |
| 8 (i) | **transférer,** v. | überführen | to transfer | transferir | transferir | μεταφέρω |
| 4 (i) | **transport,** n. m. | Transport | transport | transporte | transporte | μέσο συγκοινωνίας |
| 1 (ii) | **travail,** n. m. | Arbeit | work, job | trabajo | trabalho | εργασία, δουλειά |
| 1 (i) | **travailler,** v. | arbeiten | to work | trabajar | trabalhar | εργάζομαι |
| 7 (ii) | **trentaine,** n. f. | etwa dreissig | about thirty | treintena | uns trinta | τριανταριά |
| 1 (ii) | **très,** adv. | sehr | very | muy | muito | πολύ |
| 4 (i) | **trop,** adv. | zu viel | too many | demasiado | demais | υπερβολικά πολύ |

| | | | | | |
|---|---|---|---|---|---|
| 5 (i) | **trouver,** v. | finden | to find | encontrar | encontrar | βρίσκω |
| 5 (ii) | **trouver, se -,** v. | befinden, sich | to be (position) | encontrarse | ficar | βρίσκομαι |
| 2 (i) | **tutoyer,** v. | duzen | to use the familiar «tu» form | tutear | tutear (tratar por tu) | μιλάω στον ενικό |

# U

| | | | | | |
|---|---|---|---|---|---|
| 6 (i) | **unique,** adj. | einzig | unique | único (-a) | único | μοναδικός |
| 12 (i) | **unité,** n. f. | Einheit | unity | unidad | unidade | μονάδα |
| 11 (i) | **urbaniste,** n. f. m. | Städtebauer | town planner | urbanista | urbanista, um (a) | πολεοδόμος |
| 8 (i) | **urgent,** adj. | dringend | urgent | urgente | urgente | επείγον |

# V

| | | | | | |
|---|---|---|---|---|---|
| 3 (ii) | **vacances,** n. f. pl. | Ferien | holiday | vacaciones | férias | διακοπές |
| 7 (i) | **vaisselle,** n. f. | Geschirr | washing up | vajilla | louça | πιατικά |
| 5 (ii) | **vallée,** n. f. | Tal | valley | valle | vale | κοιλάδα |
| 6 (ii) | **valoir,** v. | wert sein | to be worth, cost | valer, costar | valer | κοστίζω |
| 7 (ii) | **veau,** n. m. | Kalb | veal | ternera | vitela | μοσχάρι |
| 5 (ii) | **véhicule,** n. m. | Fahrzeug | vehicle | vehículo | veículo | τροχοφόρο |
| 3 (i) | **vélo,** n. m. | Fahrrad | bicycle | bici | bicicleta | ποδήλατο |
| 6 (i) | **vendeur/vendeuse,** n. | Verkäufer/in | saleman/woman | vendedor (-a) | vendedor(a) | πωλητής-τρια |
| 3 (ii) | **venir de,** v. | kommen von | to come from | venir/ser de | vir de | κατάγομαι |
| 3 (ii) | **vente,** n. f. | Verkauf | selling | venta | venda | πώληση |
| 11 (ii) | **vérifier,** v. | prüfen | to check | verificar | verificar | επαληθεύω |
| 5 (ii) | **verre,** n. m. | Glas | glass | cristal | copo | το ποτήρι |
| 7 (i) | **viande,** n. f. | Fleisch | meat | carne | carne | κρέας |
| 8 (i) | **vide,** adj. | leer | empty | vacio | vazio(a) | κενό, άδειο |
| 11 (ii) | **vie,** n. f. | Leben | life | vida | vida | ζωή |
| 0 | **ville,** n. f. | Stadt | town, city | ciudad | cidade | πόλη |
| 7 (ii) | **vingtaine,** n. f. | etwa zwanzig | about twenty | veintena | uns vinte | εικοσαριά |
| 3 (i) | **violon,** n. m. | Geige | violin | violín | violino | βιολί |
| 1 (ii) | **visiter,** v. | besuchen | to visit | visitar | visitar | επισκέπτομαι |
| 3 (i) | **vite,** adv. | schnell | quickly | rápido | rapidamente | γρήγορα |
| 6 (ii) | **vitrine,** n. f. | Schaufenster | window | escaparate | montra | βιτρίνα |
| 1 (ii) | **voilà,** adv. | hier | there's/that's… | he aquí | eis aqui | νά ! ορίστε ! |
| 2 (ii) | **voir,** v. | sehen | to see | ver | ver | βλέπω, κοιτάω |
| 4 (i) | **vol,** n. m. | Diebstahl | theft | robo | roubo | κλοπή |
| 6 (i) | **volontaire, un/une,** n. | Freiwillige/r | volunteer | voluntario | voluntário(a) | εθελοντής |
| 6 (i) | **vouloir,** v. | wollen | to want | querer | querer | θέλω |
| 1 (i) | **vrai,** adj. | echt | right, true | verdadero (-a) | verdade | αληθινός |
| 1 (i) | **vraiment,** adv. | wirklich | really | verdaderamente | realmente | πραγματικά, αληθινά |
| 8 (i) | **vue,** n. f. | Blick | view | vista | vista | θέα |

# W

| | | | | | |
|---|---|---|---|---|---|
| 3 (i) | **week-end,** n. m. | Wochenende | weekend | fin de semana | fim-de-semana | σαββατοκύριακο |

# Z

| | | | | | |
|---|---|---|---|---|---|
| 12 (ii) | **zone,** n. f. | Zone | zone | zona | zona | περιοχή |

Achevé d'imprimer par G. Canale & C. S.p.A. - Borgaro T.se (Turin - Italie)
Dépôt légal 33474-04/2003 - Collection 28 - Édition 05
15/5117/5